CROYEZ-
VOUS

POUR EN FINIR AVEC LE PARANORMAL

Y CROYEZ-VOUS ?

Sous la direction de Pascal Forget,
membre des Sceptiques du Québec
en collaboration avec l'Agence Science-Presse

Données de catalogage avant publication (Canada)

Vedette principale au titre:

Y croyez-vous?: outils pour démonter le paranormal

ISBN 2-7604-0665-2

1. Parapsychologie. I. Forget, Pascal, 1969-. II. Titre.

BF1032.Y2 1999   133   C99-940493-8

Couverture: Les Éditions Stanké (Daniel Bertrand)

Infographie: Composition Monika, Québec

© Les Éditions internationales Alain Stanké, 1999

Dépôt légal: Bibliothèque nationale du Québec, 1999

ISBN 2-7604-0665-2

Les Éditions internationales Alain Stanké remercient le Conseil des Arts, le ministère du Patrimoine canadien et la Société de développement des entreprises culturelles pour leur soutien financier.

Les Éditions internationales Alain Stanké
615, boul. René-Lévesque, bureau 1100
Montréal H3B 1P5
Tél.: (514) 396-5151
Télécopie: (514) 396-0440

IMPRIMÉ AU QUÉBEC (CANADA)

Table des matières

DEUXIÈME PARTIE:
«JE L'AI VU DE MES YEUX VU!»

TROISIÈME PARTIE:
«POURTANT, J'AI ÉTÉ GUÉRI...»

QUATRIÈME PARTIE:
ÇA NE FAIT DE MAL À PERSONNE, POURQUOI S'INQUIÉTER?

Merci à tous les sceptiques qui ont contribué à la réalisation de ce livre et surtout, à ceux qui y ont cru... même sans preuve!

Préface

Marie-France Bazzo

Nous avons tort de rigoler en lisant notre horoscope. Nous devrions cesser de nous moquer des rabouteux de chakras et des distributeurs patentés de gogosses homéopathiques. L'heure n'est plus au badinage amusé, mais à la colère et à l'action.

Quand on atteint le stade où la majorité de la population connaît son ascendant dans l'horoscope mongol mais ignore son groupe sanguin, force est de constater que l'ésotérisme et ses copains, le paranormal et la crédulité, font des ravages.

Les dégâts sont réels. Le tissu social est gravement atteint. Nous sommes cernés. Les effets pervers du recul de l'esprit critique sont troublants, multiples et parfois inattendus.

Effet culturel: on peut attribuer au complexe gourouto-paranormal *X-Files: le film, La Part des anges*, la prolifique littérature traitant de l'enfant intérieur et de ses changements de couches spirituels, et l'ensemble du corpus de musak karmique.

Effet médiatique: les vendeurs de p'tites pilules homéopathiques et d'ail cryogénique, qui font passer leurs infopubs radiophoniques pour de vraies émissions; les gouroutes planantes qui distillent leur prose psycho-nanane à travers les magazines féminins.

Effet anthropologique: les soirées tupperware sont devenues des séances de démonstrations de cristaux et pullulent dans les sous-sols de banlieue le lundi soir; les weed-ends de réenlignement de chakras et les ateliers de pognage d'aura dans les centres de bio-ressourcement des Cantons de l'Est affichent complet.

Effet esthétique: cessez de blâmer les diktats de la mode pour le retour de l'agneau de Mongolie, les cheveux violets et les imprimés psychédéliques. C'est que chez les nouvel-âgeux, on assortit son look à la couleur de l'aura qui, comme chacun sait, se décline cette saison en verdâtre ou en mauvasse selon le degré de taponnage intérieur auquel l'adepte a accédé lors de son stage dans les Cantons plus haut cités (Si vous trouvez ça beau, c'est que votre troisième œil s'est ouvert...).

Effet sur la biosphère: des chercheurs américains ont établi une corrélation thermo-dynamique entre la chaleur dégagée par le fait de parler et le réchauffement de la planète. L'effet de serre serait en grande partie attribuable au dégagement calorifique causé par les conversations. Or, les trippeux du Nouvel âge sont toujours en train d'abreuver leurs disciples de leurs interminables et fumeuses théories, et de convaincre avec encore plus d'énergie ceux qui leur résistent. D'où une hausse alarmante de la température ambiante depuis l'engouement de l'Occident pour le gouroutisme. De plus, si on mesurait la chaleur émise par toutes les chandelles auriculaires que les adeptes font brûler pendant leur lavage de cerveau, il y aurait lieu de penser que le Nouvel âge soit collectivement responsable, par émanation thermique, du recul des glaciers et de l'élévation du niveau des mers. Et dire qu'ils rêvent de retrouver l'Atlantide!

* * *

Au Québec, la situation est catastrophique. La crédulité tous azimuts gagne du terrain. Elle est de ces fibres dont on tisse, ces jours-ci, des ceintures fléchées. Ainsi, nos deux obsessions nationales, la météo et la loto, relèvent de la croyance pure et simple. Elles requièrent de nous la foi absolue. Nous sommes toujours déçus des résultats de la Super 7 et floués par Météomédia, mais nous en redemandons. Loto-Québec a déjà inventé «Loto-Météo», ne manquent plus que les gratteux assortis aux signes astrologiques. Les poissons ne gagneraient jamais...

* * *

Les temps sont durs pour le scepticisme, et le terrain est bien mou. Les outils pour combattre ont intérêt à être bien aiguisés, et le sens critique, affûté. Ce livre est un genre de couteau suisse de l'esprit, avec cran d'arrêt et déboulonneuse inclus ; un tournevis universel nécessaire, un kit de secours indispensable. À vous d'en jouer, de vous pratiquer en doutant des Miss Météo, puis de Loto-Québec, puis des horoscopes, des gourous, des charlatans...

Un scepticisme bien entretenu peut de grandes choses. Un doute sain rend paradoxalement moins naïf, moins téteux, *moins dépendant.*

J'irais jusqu'à affirmer qu'un Québec sceptique serait moins peureux, presque un Québec souverain, mais bon, je ne suis pas voyante, moi...

Marie-France Bazzo
Mars 1999

Introduction

L'enfance est peuplée de paranormal. Vous croyez aux récits d'animaux qui parlent, de sorcières qui jettent des sorts aux princesses, et au Père Noël qui apporte des cadeaux dans son traîneau volant. Vous y croyez, puisqu'après tout, si les grandes personnes le disent, c'est que ce doit être vrai...

En grandissant, votre esprit critique se développe. Vous faites des expériences qu'à un autre âge, on qualifierait de scientifiques: vous parlez à des animaux et découvrez qu'ils ne vous répondent pas. Vous trouvez louche que le Père Noël soit présent à trois centres commerciaux en même temps et qu'en plus, celui qui se présente chez vous ressemble à votre oncle Roger. Vous usez d'astuces pour découvrir la différence entre une «vraie histoire» et une «histoire vraie»: vous faites semblant de dormir pour surprendre votre maman glisser quelques pièces sous votre oreiller à la place de la fée des dents. Vous faites des recherches: à l'adolescence, vous obtenez des document démontrant, preuves à l'appui, comment se font – et ne se font pas – les bébés.

Faire la différence entre croyance et connaissance est un processus somme toute assez simple – et beaucoup plus répandu qu'on ne l'imagine. Personne ne se fie aveuglément aux conseils du vendeur lorsqu'il s'agit d'acheter une voiture ou un ordinateur. Beaucoup de gens sont naturellement méfiants devant les promesses d'un politicien.

Et pourtant... Plusieurs parmi ces mêmes personnes croient dur comme fer aux ovnis et aux fantômes, uniquement parce qu'ils ont entendu des histoires à ce sujet. Des adeptes du Nouvel âge se jettent tête baissée dans les bras d'un gourou – ou croient aveuglément aux talents d'une voyante, juste parce qu'elle a dit que «vous êtes une personne intelligente, sensible, équilibrée, incomprise...»

L'esprit critique n'est pas quelque chose d'inaccessible. Chacun de nous en possède: le problème, c'est que face à certaines situations, spécialement le paranormal et les pseudo sciences, cet esprit critique semble se mettre au repos – comme si nous ne savions pas comment le réactiver, comme si nous étions incapable de réagir, tant cette situation nous prend au dépourvu.

Ce livre se veut une «boîte à outil» pour stimuler l'esprit critique. De la même façon qu'un seul outil ne convient pas à toutes les tâches, il existe plusieurs dizaines de réponses possibles pour expliquer un phénomène qui semble mystérieux – et sans pour autant éliminer la possibilité que le phénomène soit *vraiment* mystérieux. Cette boîte à outils se compose de trucs pratiques, de questions à poser à votre interlocuteur, de récits d'enquêtes et d'expériences riches en leçons, d'explications «alternatives», etc. Au contraire d'un livre d'astrologie ou de parapsychologie, celui-ci ne prétend pas apporter toutes les réponses: il a pour but de rappeler que, justement, il est bien rare qu'on ait toutes les réponses! Il vous fera sourire, parfois rire, ici et là vous surprendra, vous choquera peut-être – et sans doute que certains d'entre vous diront au détour d'une page: «Ah! ces damnés sceptiques...»

On entend souvent des choses telles que: «On sait bien, les sceptiques ne croient en rien... Ils ne sont pas ouverts... Ils ne cessent jamais de critiquer...»

Pourtant, n'est-il pas normal d'être sceptique? L'enfant qui cesse de croire au Père Noël fait preuve de scepticisme. Le citoyen qui se documente avant d'aller voter fait preuve de scepticisme. Le consommateur qui hésite à croire le baratin du vendeur fait preuve de scepticisme. Le scepticisme est à la base même de notre vie. C'est la plus belle utilisation que nous puissions faire de notre intelligence.

Lorsqu'ils se regroupent en association, les Sceptiques du Québec ou leurs compères américains du CSICOP (*Committee for the Scientific Investigation of Claims of the Paranormal*) n'empêchent personne de croire en l'astrologie ou aux soucoupes volantes... Seulement, avant de tenter de déterminer si les ovnis viennent de Mars ou d'une autre dimension, ils aimeraient en voir autrement que sur une photo floue!

«Les sceptiques refusent de voir les preuves... Ils ne font que critiquer bien au chaud dans leur salon... Ils ne vont jamais sur le terrain... S'ils y allaient, ils verraient!»

Que d'idées reçues... Ce livre démontre pourtant à quel point, justement, les sceptiques sont actifs. L'homéopathie, le paranormal, les sites d'écrasement d'ovnis, les monstres de ce lac-ci et de ce lac-là: tout cela peut être lu, décortiqué, testé, et l'a été! Ce n'est pas suffisant de dire que le livre d'une Dr Lanctôt est farci de contradictions: pour en arriver à pareille conclusion, il faut le lire d'un couvert à l'autre et en ressortir avec des arguments concrets!

En cinq ans, mon implication dans l'association québécoise des sceptiques m'a permis, entre autres, d'assister à une séance de spiritisme, de marcher sur le feu, de me transformer en bougeoir, d'aller visiter un site d'atterrissage d'ovnis, de jouer au *Ouija* avec 100 000 personnes... C'est ça, rester assis dans son salon?

En plus, évidemment, de partager les expériences qu'ont vécu d'autres sceptiques: visiter des astrologues, tester la lévitation, tout lire sur Roswell, visiter Salem (la ville aux sorcières...), assister à un congrès de sourciers... sans compter tous ceux et celles qui, dans l'ombre, calculent les probabilités, font les recherches fouillées ou les analyses en laboratoire qui supportent nos actions d'éclat (Ce sont les calculs d'un physicien qui m'ont fait marcher sur le feu, pas «la puissance de mon mental»!)

Les sceptiques sont-ils «fermés» et «bornés»? Certainement moins que la majorité des groupes «ésotériques» que nous avons observés et parfois même infiltrés. Les discussions et les questions pointues sont légion dans les soirées sceptiques. Pour chaque thème, différentes hypothèses sont présentées. Tous sont les bienvenus aux activités de l'association et sont invités à apporter leur grain de sel aux débats – en autant que les interventions soient présentées avec un minimum de courtoisie et de cohérence. Les sceptiques regardent bel et bien les deux côtés de la médaille. Mais dans le doute – car il y en a souvent – ils s'abstiennent de croire aveuglément!

En revanche, avez-vous déjà essayé de mettre en doute les prétentions d'un conférencier «ésotérique», dans une salle où vous avez l'impression que c'est vous qui débarquez d'une autre planète?

Devant l'hydre du paranormal – on lui coupe une tête, trois repoussent – les sceptiques ne peuvent tout faire. Il ne faut surtout pas croire qu'il y a les Sceptiques (avec un grand S!) et les autres! Le scepticisme est une discipline qui s'acquiert, que chacun se doit de développer. Pas besoin d'être un scientifique, d'être bardé de diplômes ou d'avoir des années d'expérience pour faire preuve d'esprit critique face au paranormal et aux pseudo sciences. Suffit d'un peu de jugeotte – la même que vous employez si bien face au vendeur de voitures d'occasion...

Pascal Forget

PREMIÈRE PARTIE:

«QUELLE AUTRE EXPLICATION POURRAIT-IL Y AVOIR»?

Un homme modeste apprend dix choses et en croit une; un homme complaisant apprend une chose et en croit dix.

Proverbe chinois

Rien de plus trompeur qu'un fait évident.

«Sherlock Holmes»,
Le Mystère du Val Boscombe

1

J'ai marché sur le feu!

Pascal Forget

> L'esprit n'est pas un contenant à remplir, mais un feu à
> allumer.
>
> Plutarque

J'étais sur mon balcon, devant une assiette pleine d'essence à briquet enflammée, et j'allais me mettre la main dedans, malgré la peur qui me paralysait. J'ai pris une bonne inspiration, plongé ma main... et j'ai éteint l'essence sans aucune douleur! Je venais de répéter l'exploit de danseurs vaudous qui m'avaient tant impressionné lors de mes dernières vacances!

Ce n'était pas la première fois que je jouais avec le feu: j'éteins depuis longtemps des chandelles avec mes doigts. Mais tout le monde connaît ce truc simple et indolore: il suffit de se mouiller les doigts et d'étouffer rapidement la flamme entre le pouce et l'index.

Et si je vous disais que de marcher sur le feu – traverser d'un bon pas deux mètres de charbons à 400 degrés Celsius – n'est pas plus compliqué!

Depuis plusieurs années, les motivateurs, les consultants en «performance» en entreprise et, surtout, les gourous du Nouvel âge, se servent de la marche sur le feu comme un exemple de «dépassement de soi». Après un séminaire plus ou moins long (portant un nom généralement suivi d'un signe de copyright!) les participants sont invités à marcher sur des charbons ardents. Le message est utilisé à toutes les sauces: si ta puissance mentale te permet de marcher sur le feu, tu peux dépasser ton quota de vente, arrêter de fumer, vaincre tes phobies, etc.

Plus de 200 000 Américains auraient déjà participé à ce genre d'événement, dont le coût par personne varie entre 35 $ et plus de 800 $ US, selon la popularité de l'organisateur et la durée du séminaire qui l'entoure.

Donc, la marche sur le feu existe bel et bien. Pourquoi les sceptiques continuent-ils d'en parler? Parce que trop de gens y voient quelque chose de magique, exigeant une «préparation» psychologique très spéciale, alors qu'en réalité, il est tout à fait possible de le faire sans la moindre préparation. Il suffit de prendre son courage à deux mains, et d'y aller. Ni forces vitales, ni coussin protecteur de l'aura, ni énergies paranormales...

Enhardi par mes recherches, j'ai décidé de faire moi-même l'expérience. Pour en avoir le cœur net – et pour la science! – j'ai profité d'une soirée chez Alain Bonnier (mieux connu sous le nom de *M. Bit*), pour préparer mon propre bûcher... Et je l'ai traversé indemne, sous l'œil attentif d'une dizaine de sceptiques confondus! Je n'ai ressenti aucune douleur, et ce n'est pas parce que j'avais marché à côté des braises: mes traces de pas apparaissaient clairement dans les cendres!

Nous avons par la suite répété l'expérience avec d'autres volontaires, qui ont eu grand plaisir à risquer à leur tour la plante de leurs pieds!

Les raisons

Plusieurs principes physiques élémentaires rendent la marche sur le feu possible.

1. La faible conductivité thermique du charbon

Le charbon est peut-être très chaud, mais il transmet très mal sa chaleur. Prenons l'exemple d'un four à 200° C: on peut passer sa main à l'intérieur sans problème, alors qu'un simple contact avec les grilles en métal causera une brûlure. L'air est pourtant à la même température que les grilles!

Il en en va de même pour le charbon: lorsqu'on pose brièvement son pied sur les braises, le pied n'a pas le temps d'absorber assez de chaleur pour brûler. De plus, seule la surface du pied est en contact avec les braises. La circulation sanguine absorbe en partie cette chaleur, à la façon de l'eau dans un radiateur de voiture.

2. La faible durée du contact

Contrairement à certaines prétentions des fakirs et gourous, la marche se fait rapidement: le contact de chaque pied sur la braise dure moins d'une seconde, et moins de dix pas sont habituellement nécessaires. Comme lorsqu'on marche sur de l'asphalte chauffé par le Soleil: la sensation de chaleur ne devient insupportable qu'après quelques pas. C'est tellement vrai que des Sceptiques américains ont réussi sans difficultés à traverser un lit de braise d'environ 50 mètres de long!

3. L'effet Leidenfrost

Les participants mouillent parfois leurs pieds, juste avant. Cette précaution mettrait en jeu «l'effet Leidenfrost»: au contact de la chaleur, l'eau s'évapore, et cette vapeur d'eau crée un coussin isolant entre le pied et le charbon. Ce facteur n'est pas déterminant; certains habitués de la marche sur le feu préfèrent s'assécher soigneusement les pieds pour éviter qu'un tison ne colle à la peau.

Est-ce douloureux?

La plupart des participants rapportent une sensation semblable à celle d'une marche sur du sable chaud, d'autres une sensation de chaleur assez inconfortable. Lors de notre expérience, personne n'a ressenti de douleurs vives, seules une légère brûlure et une petite ampoule ont été rapportées. Le seuil de sensibilité de chacun entre en ligne de compte.

Quant aux accidents, la majorité se produisent après la marche. Il suffit qu'un tison reste collé entre les orteils ou sous le pied pour provoquer une douloureuse brûlure. C'est pourquoi les pieds des marcheurs sont arrosés d'eau ou frottés dans le sable après la marche.

Par ailleurs, il faut mettre un bémol ici. Je ne doute pas de la sécurité de ces événements. Mais pour justifier le faible taux de blessures rapporté, il ne faut pas oublier que les brûlures mineures (les ampoules, par exemple) n'apparaissent pas immédiatement. Un promoteur de marches sur le feu m'a affirmé n'avoir assisté qu'à un seul accident, qui s'est produit parce que le participant s'était «mal préparé mentalement». Peu après, il m'a pourtant expliqué s'être lui-même brûlé: il a découvert une zone de peau «complètement disparue», d'environ trois centimètres de diamètre, qu'il n'avait pas remarquée avant d'enfiler ses chaussettes.

Le nombre de ces brûlures légères doit être plus élevé que ce qui est annoncé. Submergé d'adrénaline après avoir marché sur les «flammes», au son des applaudissements des autres participants, qui va aller se plaindre d'une petite ampoule?

Les phénomènes «inexpliqués»

Plusieurs promoteurs font état de «phénomènes» pour lesquels, d'après eux, les explications ne tiennent plus. De la «marche sur des roches volcaniques» (qui sont, comme par hasard, très poreuses et donc isolantes) jusqu'à «s'asseoir de longues minutes sur les braises»... Le motivateur américain Anthony Robbins aurait même «marché sur une grille de métal posée sur les charbons ardents». Malheureusement, aucun de ces exploits n'a été filmé...

Il ne faut pas non plus se laisser impressionner par les photos spectaculaires montrant des participants qui marchent au travers de flammes très hautes. Ils n'ont pas une aura plus puissante que vous: il suffit de jeter du kérosène ou de l'essence diesel sur le charbon, juste avant d'y marcher. Cette technique est employée pour offrir aux marcheurs des photos-souvenirs plus impressionnantes, et n'ajoute rien à la difficulté de la marche.

Comme dans beaucoup de domaines où l'étiquette «paranormale» est apposée (et où il y a de l'argent à faire), tous les moyens sont bons pour rendre l'expérience plus attrayante aux yeux des amateurs de sensations fortes... J'ai même trouvé un «possible enlèvement par des extraterrestres» dans les notes biographiques d'un promoteur!

Qu'elle soit considérée comme activité spirituelle, «métaphore motivationnelle», ou activité à haute teneur en adrénaline, il faut simplement se rendre compte que la marche sur le feu n'a rien de sorcier: de la volonté et du courage suffisent. Après mes recherches sur le sujet, invitez-moi quand vous voulez à marcher sur le feu... mais ne me demandez pas de sauter en *bungee*!

Références

LEIKIND, B. J. et W.J. McCarthy, «Firewalking», *Experientia*, vol. 44, 1988.

CARROL, Robert, T. «Firewalking», *The Skeptics Dictionnary*, 1997. (http://wheel.ucdavis.edu/~btcarrol/skeptic/dictcont.html)

NŒLLE, David, «World's Longest Firewalk: Physicist Leads Hot Trek for Science in Pennsylvania», *Skeptical Enquirer*, January/February 1999, p. 5

Première parution: *Le Québec Sceptique*, automne 1997

2

On n'a plus les sourciers qu'on avait

Brigitte Bédard
Agence Science-Presse

J'avais décidé de m'habiller en noir, ce jour-là. Lourde gaffe!
Parmi les 1200 congressistes, j'étais la seule. La foule entière semblait s'être donné le mot pour ne porter que les couleurs du prisme:
jaune, mauve, bleu, vert... Les sandales à velcro étaient du dernier cri.
Bienvenue au 37e Congrès de la Société américaine des sourciers.

Ce n'est pas par hasard si les couleurs étaient à l'honneur: les
sourciers, c'est bien connu, travaillent avec la Lumière, source de vie
et de création. Le noir, lui, est privé de lumière. Il est plongé dans
l'obscurité. Tout comme, faut-il en conclure, une journaliste envoyée
là-bas par l'Agence Science-Presse...

La radiesthésie, ou la «sourcellerie», n'est plus ce qu'elle était.
Pendant très longtemps, le sourcier typique fut un vieil homme muni
d'une fourche confectionnée à l'aide de branches d'arbres fruitiers,
avec laquelle il prétendait trouver de l'eau. Aujourd'hui, le Nouvel
âge a étendu ses griffes: les sourciers balancent les énergies d'une
maison, des chakras, d'un terrain ou d'un être humain. Ils prennent
des cours de méditation, de toucher énergétique, de fréquence vibratoire. Ils interrogent les anges. Ils parlent aux roches et écoutent les
arbres. Ils peuvent même – disent-ils – guérir les malades et régéné-

rer l'ADN. Et tout cela, avec l'aide d'une simple baguette ou d'un pendule.

Lorsqu'ils se rassemblent une fois par année, au milieu de l'été, à Lyndonville, au Vermont, ils ont au menu une quantité industrielle d'ateliers, sur tous les sujets possibles et imaginables.

Celui-ci, par exemple, mené par une certaine Sharon Monahan: «Le langage de la terre». La salle était bondée. Des diapositives illustraient le terrain bucolique d'une dame. Celle-ci ne savait pas comment délimiter son parterre. Aucun problème! Une roche confia à Mme Monahan d'aller un peu plus vers sa droite (la droite de la roche, pas celle de la dame). Même pas besoin de fourche ni de pendule! Je me tourne vers mon voisin de gauche: «Est-ce que vous y croyez?» «Bien sûr», me dit-il avec le sourire confiant de celui qui l'a déjà expérimenté. À ma droite, un garçon dit à sa mère qu'il aimerait bien, lui aussi, parler aux arbres et aux roches. Bonne mère, elle lui dit qu'elle lui montrera...

Une diapositive m'intrigue. La photographie est ratée. Il y a une barre rouge-orange en plein centre. Madame Monahan le déplore, mais souligne aussitôt qu'il est tout de même étrange que la barre rouge se trouve exactement à la limite du terrain de la dame. Et l'assistance de pousser un «hoooo» médusé...

Qu'en pensent les sourciers «classiques»? Ted Kaufman, 85 ans, raconte avoir trouvé beaucoup d'eau au cours de sa vie, et même des enfants disparus. N'est-il pas dérouté par ces nouvelles «tendances»? Au contraire, il trouve cela «formidable». Selon lui, il existe une énergie, une sensibilité chez le sourcier qui peut se transmettre. Une énergie tellement forte qu'elle permettrait de «trouver n'importe quoi...» Au point où « serait bénéfique d'utiliser les sourciers en justice afin de savoir si les gens disent la vérité».

L'enfant responsable

Il y avait un atelier que je tenais absolument à voir: «Aspects spirituels de la sourcellerie». Le conférencier était un homme sobre. Il se dégageait de lui une sérénité peu commune. Il parlait d'amour inconditionnel et de non-jugement. L'assistance était muette d'admiration. Une femme leva la main: «Je sais que, selon la Loi

Universelle, je ne dois pas interférer dans la vie des autres. Pourtant, quelque chose m'agace. Je travaille avec des enfants abusés sexuellement. Je ne peux concevoir le fait de ne rien faire pour eux. Je dois prévenir la police ou faire appel à la justice, non?» Émoi dans l'assistance.

L'homme lui répond: «L'enfant a sa part de responsabilité dans tout ceci, à cause d'une vie antérieure. Ne croyez-vous pas qu'il serait mieux de réunir l'enfant et ses parents avec votre amour inconditionnel? La Vie se chargera de faire ce qu'il faut faire.» Les gens faisaient tous oui-oui de la tête, et les larges sourires revenaient.

L'un des ateliers les plus attendus du congrès s'intitulait *Interview With An Angel*, avec Linda Sue Nathanson, docteur en psychologie, et Steven Thayer.

Deux cent cinquante personnes dans la salle, moi y compris. Le conférencier demande: «Combien d'entre vous croient que les anges existent et qu'il est possible de communiquer avec eux?» Deux cent quarante-neuf mains se lèvent.

Steven Thayer se présente. Ancien ingénieur, ancien sceptique, il est entré en communication avec un ange. Depuis ce jour, il donne des conférences et des cours.

Pas de chance, nous n'aurons pas d'entrevue avec un ange. Nous devrons nous contenter de poser des questions à Steven qui, lui, les posera à l'ange Ariel. Et encore, pas tout de suite: un feuillet est disponible. On l'envoie par télécopieur, par courrier électronique ou par la poste. Si la question obtient une réponse d'Ariel, elle sera publiée dans l'*Interview with an Angel Journal*, dont vous recevrez une copie gratuite. Et voilà, le tour est joué!

Indispensable pendule

Entre les ateliers et le magasin où pullulent roches énergétiques, huiles essentielles, bijoux et pendules, il paraît vite évident que les instruments sont d'une importance capitale. Pourtant, n'enseigne-t-on pas que la vraie réponse vient de la tête? Qu'un vrai sourcier possède en lui tous les pouvoirs nécessaires? Le pendule et la fourche seraient donc facultatifs? Plusieurs personnes m'ont répondu: «Oui, c'est vrai».

S'agirait-il alors de superstition? On affirme que non: l'instrument aide à donner confiance. Je poursuis: «Donc, vous n'avez pas assez confiance en vous-même ou en votre petite voix intérieure?» Réponse: «Oui, c'est vrai.»

Une activité tranchait avec le reste du congrès: la fondation *Water for Humanity*. On ramassait des sous pour creuser des puits dans les pays sous-développés. Soudainement, on parlait du vrai monde. Un choc.

Avoir le chakra à la bonne place

S'il faut en croire les adeptes du Nouvel âge, les chakras seraient les sept points de notre anatomie – chacun possédant une couleur bien à lui, quoique les opinions divergent sur ces couleurs – qui indiquent notre forme mentale, physique et spirituelle. S'ils sont bien alignés, vous êtes au top niveau.

Bien entendu, il existe des gens qui affirment pouvoir vous aligner les chakras. Ceux qui sont en communion avec leurs pouvoirs, les esprits de la terre, les anges, ou quoi que ce soit d'autre (les opinions divergent là aussi). Dans le cadre de ce 37ᵉ Congrès de la Société américaine des sourciers, ils étaient 1200 à prétendre posséder ces pouvoirs, ou être en voie de les acquérir.

J'ai donc décidé de tenter l'expérience. J'ai demandé à l'un d'eux, spécialiste de la chose, de m'aligner les chakras. Sans m'identifier comme journaliste, question de ne pas le faire fuir.

Les sept points ou zones où les chakras sont censés se retrouver, sont au-dessus de la tête, au milieu du front, à la gorge, au plexus, au ventre et aux parties génitales (mot que l'on ne prononce jamais, lui préférant «le bas du corps»). Après plusieurs passages de son pendule au-dessus de chacune de ces zones, le verdict du sourcier fut très net: «Vos chakras sont parfaitement balancés... Comment faites-vous pour être à ce point équilibrée? C'est exceptionnel... Que faites-vous de spécial?» me demandait l'homme, admiratif. «Je ne fais rien du tout, Monsieur... Je ne suis pas une sourcière moi... Je suis journaliste...»

Bouche-bée, l'interlocuteur a tourné les talons. Il semblait désorienté. Une journaliste. Une sceptique. Une étroite d'esprit. Ses chakras étaient parfaits. Ce semblait être au-dessus de toute logique.

3

L'affaire Uri Geller

Claude Lafleur

> Quand l'eau courbe un bâton, ma raison le redresse.
>
> Jean de La Fontaine, *Un animal dans la lune*

Uri Geller suscite la controverse depuis les années 70 en réalisant des exploits – dont la torsion de cuillers et la reproduction de dessins par «télépathie» – que certains attribuent à des pouvoirs paranormaux, mais que d'autres qualifient de trucs de magicien. Pour les premiers, Geller serait le plus grand médium de tous les temps; pour les seconds, c'est un odieux charlatan.

Dans les pages qui suivent, nous allons décortiquer l'émission de la télévision française *Droit de réponse* diffusée le 14 mars 1987 sur «l'effet Geller». Grâce à cette émission, nous illustrerons les mécanismes, presque toujours les mêmes, grâce auxquels un tel individu réussit à passer la rampe... surtout lorsque, hélas, il bénéficie de l'appui inébranlable d'un média en mal de rigueur.

Premier acte: témoignage d'une célébrité

En guise d'introduction, l'animateur de l'émission, Michel Polac, une vedette en France, raconte avec conviction sa première rencontre avec Geller. Dès le départ, il admet candidement: «Je suis en partie l'un de ceux qui y croient. Il faut que je montre ma four-chette. Je la garde précieusement depuis 15 ans.»

Il avait vu Uri Geller attablé à une terrasse. «J'étais un peu gêné, je lui ai dit: «Écoutez, tout le monde doit vous le demander, est-ce que je peux...?» Et Geller me dit «Bah oui, allons-y... Allez prendre une fourchette.» Et les garçons m'ouvrent le tiroir, j'en sors une fourchette. Je m'approche d'Uri Geller, il se lève, tout le monde l'entoure. Je ne la quitte pas, hein, cette fourchette! Et il fait ça.» Polac passe son doigt au-dessus de sa fourchette. «Et je la vois se tordre!

«Je ne suis pas un naïf. Je suis prêt à ce que l'on me prouve qu'il y a un truc. Depuis 15 ans, je demande partout autour de moi que l'on me dise quel est le truc qu'il a pu utiliser. Et je n'ai toujours pas trouvé. Peut-être que ce soir quelqu'un va enfin me le dire. **Mais tant que je n'aurai pas le truc, j'y croirai!**»

Que dire face à un témoignage aussi sincère, provenant d'un des animateurs les plus respectés de France?

Deuxième acte: s'attirer la sympathie

Michel Polac enchaîne avec la projection de courts extraits vi-déos illustrant quelques exploits réalisés par le «médium». On vi-sionne ainsi un extrait de la télévision japonaise du 31 mars 1983 montrant un bâton de golf tenu à deux mains par un enfant, par Uri Geller, puis par d'autres personnes (À un certain moment, on peut compter au moins six mains sur la canne!). Durant quelques minutes, Geller masse avec insistance l'endroit précis où le bâton va plier – jusqu'à finalement se rompre –, le tout dans un délire d'admiration!

Incidemment, il ne s'agit pas là d'une démonstration de **téléki-nésie**, du moins telle que définie par Geller lui-même dans son ou-vrage: la télékinésie est censée être le «mouvement d'objet **sans contact physique**». Or, Geller tient le bâton à deux mains. En outre, la confusion aidant, dans ce film, on *ne voit pas* le bâton se tordre hors des mains de Geller. Cet exploit est d'ailleurs jugé peu convain-cant par l'animateur lui-même.

Pourtant, Geller commente: «Il faut comprendre, Michel, que des choses de ce type... Vous savez, la canne de golf, je ne l'ai fait qu'une seule fois dans ma vie, et voilà, c'était la fois!

«Mais je ne suis pas un homme à miracle. Je ne suis pas un magicien non plus, c'est certain, je n'ai donc pas le contrôle absolu de tous ces phénomènes... En fait, je ne suis qu'un déclencheur, et quand je dirai aux enfants «Écoutez, croyez-y les enfants, croyez-y, vos montres recommenceront à marcher», je ne ferai alors que déclencher le pouvoir qui est en eux.»

De cette façon, avec une grande habileté, Geller s'attire la sympathie du public, tout en attisant leur imagination: même s'il ne contrôle pas son pouvoir, il nous garantit que nous tous pouvons en faire autant! «Quel jeune homme sympathique et extraordinaire!» ne manqueront de penser certains téléspectateurs...

On nous montre par la suite trois démonstrations de l'expérience classique de télépathie. Lisant apparemment dans la pensée d'un témoin (en l'occurrence un personnage célèbre et intègre), Geller reproduit fidèlement un dessin fait auparavant par celui-ci.

Il ajoute: «J'ai fait ce genre d'expériences à l'Institut de recherche de Stanford, dans des conditions contrôlées. J'y suis resté trois mois, j'étais enfermé dans des salles spéciales, et des dessins étaient faits à des kilomètres.

«Mais malheureusement, les controverses m'ont toujours suivi. Ceux qui ne veulent pas croire trouvent toujours une excuse. J'ai donc décidé de laisser de côté toutes ces expériences scientifiques parce que j'en avais assez. Et c'est pour cela que j'ai disparu il y a dix ans.»

Persécution par l'establishment scientifique: tous les ingrédients pour s'attirer la sympathie sont là!

Troisième acte: confondre les sceptiques

Interviennent alors deux sceptiques. Michel Polac a en effet convié Michel de Pracontal, journaliste et auteur de *L'Imposture scientifique en dix leçons*, et Jean-Michel Bader, journaliste à *Science & Vie*.

Michel de Pracontal précise sur ce qui s'est passé avant l'émission: «On a fait quelques essais de télépathie, mais ça n'a pas marché... C'est-à-dire qu'Uri Geller nous a dit «Je vais essayer de lire votre pensée». Il nous a demandé de faire un dessin. Il ne regardait pas. Puis il nous a dit d'y penser fortement et qu'il allait voir l'image mentale. Mais ça n'a pas fonctionné, alors il nous a dit de garder les dessins. Donc moi, j'en ai un dans ma poche...»

C'est alors que Geller se concentre sur Jean-Michel Bader et qu'au bout de quelques instants, il réussit à reproduire son dessin! On s'en doute, les deux sceptiques sont fort embêtés. Bader commente: «Cela ne constitue pas pour moi une...» sous les rires de l'assistance.

Invoquant la possibilité que Geller ait pu tricher (puisque les dessins ont été faits en sa présence), de Pracontal propose une autre démonstration: «J'ai un dessin dans mon cartable, que j'ai fait chez moi. Ce dessin n'a été vu par personne, il est dans une enveloppe et celle-ci est fermée. Je suis prêt à recommencer maintenant...»

Ce à quoi réplique immédiatement Geller: «Attendez, on me prend pour une machine! Ce n'est pas le cas, voyons... Je voudrais simplement vous assurer qu'en tout état de cause, ce que vous venez de voir, c'est quelque chose de réel, et ne me racontez pas que...» «Non, mais je constate que vous ne relevez pas le défi», de répliquer de Pracontal. Et l'animateur de venir à la rescousse de Geller: «Vous saviez très bien dans quelles conditions on vous a demandé de faire ce dessin. Je pense que s'il avait triché, s'il avait essayé de regarder votre dessin... Ça me paraît tout de même un peu gros.»

«Ce n'est pas comme cela que nous devions faire l'expérience...» proteste de Pracontal. «Ce n'est pas comme cela que je voulais faire l'expérience, reconnaît l'animateur, je suis d'accord avec vous. Nous voulions le faire avec une enveloppe mais... Uri ne veut pas le faire. C'est vrai, mais c'est déjà très fort.»

Imaginez, nous sommes venus à deux doigts d'assister à une démonstration qui aurait pu balayer tout doute! Et il a suffi de la complaisance de l'animateur pour que Geller se défile!

Quatrième acte: introduire de la science

Arrivent deux savants «dont on ne pourrait mettre en doute la crédibilité et qui ont eux-mêmes constaté l'existence de phénomènes paranormaux». Le premier est Charles Crussard, qui nous est présenté par Michel Polac comme «l'un des plus grands ingénieurs métallurgistes français». L'animateur précise que «si vous n'aviez pas publiquement raconté votre expérience, vous seriez aujourd'hui membre de l'Académie des sciences». Ce que confirme tout aussi complaisamment Jean Bouvaist, un autre ingénieur métallurgiste.

Charles Crussard relate le phénomène qu'il vécut en 1974 alors qu'il regardait une émission où Uri Geller proposait aux auditeurs de tenir en main une cuiller, une clé ou autre objet qui pourrait se tordre. «C'était une pièce de métal nervurée, épaisse et rigide, et je l'ai simplement tenue entre deux doigts. Et à la fin de l'émission, je l'ai posée sur une table de verre, et elle avait une flèche de cinq millimètres...»

Que penser? Comment expliquer qu'une autorité aussi prestigieuse (à ce qu'on dit) ait été incapable de convaincre ni ses collègues ni ses proches? Curieux, tout de même: il doit pourtant y avoir de bonnes raisons pour que personne ne croie ce «renommé savant»... Mais il n'y a personne sur le plateau pour poser la question.

Personne ne songe non plus à demander à M. Crussard si la tige aurait pu par hasard être déformée avant l'expérience. Après tout, c'est d'une déformation presque imperceptible dont il est question ici...

Durant l'émission, on nous a par ailleurs montré quelques «expériences scientifiques» mettant en vedette Jean-Pierre Girard, le «Uri Geller français». C'est ainsi que Jean Bouvaist exhibe une barre métallique longue d'une trentaine de centimètres et d'un diamètre d'un centimètre, pliée en son milieu selon un angle d'une quinzaine de degrés, soi-disant par les «pouvoirs» de Bouvaist.

Cinquième acte: dérapage

Michel Polac passe alors au volet suivant: «En 1982, nous avions montré dans cette émission un document que Roger Pic avait fait à TF-1 sur la télékinésie, et dans lequel on voyait Jean-Pierre Girard faire un déplacement d'objets, toujours sans y toucher. Il s'agissait de cubes de plastique que vous (Roger Pic) lui aviez apportés.»

«Girard est venu chez nous la semaine dernière pour filmer la même expérience, mais compliquée par le fait qu'il avait mis un aquarium en verre par-dessus afin d'éviter que l'on pense que des fils de nylon permettraient de tricher. Voici donc l'expérience – Regardez bien, nous l'avons prise au moment où un objet bouge. Regardez, regardez bien l'objet rouge, il va bouger deux fois...»

Avec émotion, Michel Polac commente: «Toute mon équipe était là, nous étions absolument superbement convaincus! La seule chose qui me troublait, c'était que Girard n'avait pas voulu que nous fournissions nos objets (comme il l'avait accepté avec Pic). Alors, j'ai dit: «Ne coupez pas les caméras, on va enlever l'aquarium». Et j'ai pris les objets... Il y avait un illusionniste choisi par monsieur Girard qui devait soi-disant vérifier qu'il n'y avait pas de truquage et il avait amené cet aimant pour prouver que rien n'était aimanté. En prenant l'objet rouge dans ma main, j'ai vu que celui-ci était maintenant plus lourd: ce n'était plus celui que j'avais pris auparavant!»

De fait, sur la bande vidéo on entend l'animateur demander: «Ça, c'est quoi là? Est-ce qu'on peut l'ouvrir maintenant? Je crois que la seule solution pendant que les caméras tournent c'est de...» Jean-Pierre Girard semble mal à l'aise: «Écoutez, moi j'ai fait mon expérience...» et il se lève à la sauvette. Toujours sur la cassette, on entend Michel Polac constater: «Ce n'est pas probant», alors que le complice de Girard tente de créer une diversion.

De retour en studio, Michel Polac commente: «Alors, voilà. Pour moi, c'est une désillusion épouvantable, car effectivement l'objet rouge qui a bougé était deux fois plus lourd que celui en bois. Quand j'ai demandé à Girard que l'on fasse une vérification (J'ai proposé qu'on le scie ou qu'on le dévisse, puisque j'apercevais une petite vis en-dessous du plastique.), son associé a subtilisé l'objet et m'en a redonné ensuite un autre en bois qui pesait deux fois moins lourd. Alors là-dessus, je pourrais dire: «C'est fini, je n'y crois plus, c'est terminé!»...»

Imaginez! Devant toute la France, Jean-Pierre Girard – le médium avec qui nos deux ingénieurs métallurgistes ont dit plus tôt avoir réalisé des centaines d'expériences, dont certaines «prouvant» l'existence de phénomènes paranormaux – est démasqué!

Et pourtant, Michel Polac s'accroche: «Bon, je dis personnellement, après en avoir parlé avec ceux qui ont fait des expériences, que ce n'est pas totalement négatif, car les médiums ont tous reconnu avoir triché des dizaines de fois, étant donné qu'ils ne réussissent pas à chaque occasion.»

Il demande alors à Uri Geller s'il ne veut pas tenter une dernière expérience. «Écoutez, répond celui-ci, voyons ce que l'on peut faire avec les enfants. Les enfants, venez près de moi, venez, venez près de moi. Maintenant... où est la caméra? Je voudrais montrer tout cela à la caméra. Je vais commencer. Je dis à la cuiller: «Tords! Tords-toi!»

Geller la tient alors par le cuilleron d'une main et passe son autre main au-dessus – il la flatte – en s'assurant que l'on voit parfaitement ses gestes à la caméra. «Tords-toi! Tords-toi... Vous voyez, je pense qu'il y a une petite torsion, lente. Cuiller, tords-toi. Bon, une seconde...» Geller juxtapose sa cuiller sur une autre pour voir s'il n'y a pas une légère flexion, mais ce n'est pas le cas. Il recommence, mais cette fois en se plaçant de telle sorte que sa main droite nous cache totalement la cuiller.

«Tu te tords! Tords-toi! Ça commence, ça commence! Regardez!» Nous ne voyons pas la cuiller en train de se tordre, seulement la voyons-nous légèrement pliée lorsqu'il enlève sa main. «Comme vous pouvez le voir, ça commence.»

Geller déclenche alors une véritable tornade de confusion pendant laquelle nous perdons totalement de vue la cuiller: «Les enfants, venez autour de moi.» Il demande à quelques enfants de poser leurs mains sur la cuiller de sorte que celle-ci est ensevelie sous six ou sept mains. «Allez-y et dites "Cuiller tu te tords, tu te tords!"» Et les enfants crient. «C'est très peu, très peu. Peut-être encore un petit peu. Mais ça, c'est du réel! Vous l'avez bien vu se tordre.»

Oh que non! Nous avons sous les yeux une cuiller qui, à présent, est légèrement tordue, mais nous ne l'avons absolument pas vu se tordre!

Mais la méthode dénoncée par ses détracteurs s'en trouve magnifiquement illustrée. Au départ, Geller fait en sorte que nous ayons bien en vue la cuiller qu'il flatte. On la perd par la suite de vue, mais les spectateurs crédules conserveront le souvenir d'avoir bien vu la cuiller (ce qui est exact) se tordre sous leurs yeux (ce qui est faux). Ces manœuvres constituent les bases mêmes de l'illusionnisme!

Sixième acte: la confrontation interrompue

C'est dans cette atmosphère de confusion que se produit le coup de théâtre: l'arrivée en trombe de Gérard Majax, illusionniste français et farouche détracteur de Uri Geller!

Apostrophant l'animateur, Majax s'écrie: «Vous m'avez gardé dans une pièce à côté... Je devais intervenir il y a 20 minutes et...» «Je ne vous ai pas fait venir, rétorque celui-ci, pour la bonne raison que l'expérience prévue n'a pas eu lieu.» «Mais on a vu des choses, d'enchaîner le magicien. Vous avez un club de golf, monsieur Ladislav de Hoyos? La première chose que l'on a vu ce soir, c'est un club de golf...» Posant la main de l'animateur sur la partie avant du bâton, il ordonne: «Touchez! Voilà, mettez votre main au-dessus. Passez votre main dessus, passez votre main. Pensez-y!» Et la canne plie comme du caoutchouc, d'un angle atteignant les 35 degrés! On voit brièvement Uri Geller, la figure déconfite.

«Et maintenant le truc de la boussole», enchaîne Gérard Majax. Regardez la boussole. Regardez... et voilà!» Il fait tournoyer l'aiguille de celle-ci beaucoup plus violemment que Geller ne l'avait fait plus tôt. «Maintenant je vais faire la cuiller tordue...»

Tentant de rétablir un semblant d'ordre, Michel Polac fait l'aveu suivant: «Le problème, c'est qu'il y a encore des gens qui continuent à ne pas y croire, et je suis ce soir de ceux-là!» Malheureusement, il passe à ce moment à un tout autre volet de l'émission, au lieu de laisser se poursuivre la confrontation. Juste au moment où ça devenait intéressant!

«Nous avons passé beaucoup de temps, reprend l'animateur, à essayer de vérifier tout ce que dit Uri Geller dans son livre (*L'Effet Geller*, publié en 1987). Il y a des témoignages extraordinaires, dont certains que nous avons voulu vérifier.

«Dans votre livre, vous dites que vous travaillez pour des compagnies minières et pétrolières et que vous avez découvert un certain nombre de choses assez exceptionnelles. Le *Financial Times* a publié en janvier 1986 un article très détaillé où il explique que vous avez découvert pour la *Zennec* une mine dans les îles Salomon. Nous, nous avons téléphoné au président de la *Zennec*, mais il a refusé de nous confirmer ou d'infirmer...

«Nous avons fait beaucoup, beaucoup, beaucoup de vérifications pour beaucoup de choses, mais nous n'avons pas trouvé la preuve que nous cherchions.»

Et l'animateur de poursuivre: «Nous avons fait la même chose pour monsieur Girard qui a écrit un livre où il raconte sa vie. Nous avons envoyé un journaliste dans le village de son enfance, là où lui aussi disait que tout le monde se souvenait qu'il avait des dons particuliers – notamment à l'école, où il devinait la question de l'institutrice avant qu'elle ne la pose. Hélas! dans le village de monsieur Girard, impossible de trouver quelqu'un qui se souvienne de ses dons.»

Démasqué une seconde fois, Jean-Pierre Girard amorce timidement: «Ils sont tous morts...» «Mais non, tranche l'animateur, il y a des gens qui étaient en classe avec vous, mais personne ne s'en souvient!»

En toute fin d'émission, Michel Polac nous fait l'ultime aveu: «Comme quoi, c'est vraiment un monde! C'est un monde où vraiment nous ne nous y reconnaissons pas... Mon équipe peut témoigner, envers et indépendamment de moi, que ma fourchette, il me l'avait tordue, bon sang de bonsoir! Et ce soir, je n'y crois plus! Voilà! Je suis désolé, Uri, je n'arrive plus à y croire. Vous n'avez pas réussi une expérience probante, ce soir. Je suis désespéré; j'ai perdu la face aux yeux de toute mon équipe!»

Mais il a fallu bien du temps et bien des efforts pour en arriver là!

4

Les parapsychologues seront confondus

Henri Broch[*]

Ce que l'on appelle souvent la parapsychologie scientifique a pris son essor à la suite des recherches menées initialement à l'Université Duke par Joseph Banks Rhine et sa femme Louisa.

Adolescent, Rhine voulait devenir pasteur; il étudie la théologie pendant une année, puis s'oriente vers la physiologie végétale à l'Université de Chicago. Il devient Docteur ès Sciences en 1925, comme Louisa, et enseigne alors la *botanique*. Lorsqu'il est nommé, à la fin des années 20, à l'Université Duke, à Durham, c'est toutefois pour occuper la chaire... de *psychologie*. C'est à partir de cette époque qu'il travaille avec des médiums pour prouver la survie après la mort. Sa soif de paranormalité l'amène à quelques enquêtes qui devraient être citées plus souvent afin de bien cerner le personnage.

Il publie par exemple, en 1929, en collaboration avec sa femme, un long article qui se veut un rapport scientifique sur «Lady», une pouliche de trois ans, qui possède la particularité de lire dans les pensées! Lorsque la supercherie est établie, Rhine déclare

* Henri Broch, Docteur ès Sciences, est un sceptique émérite qui enseigne la physique à l'Université de Nice-Sophia Antipolis. Il est également connu pour un ouvrage devenu une référence, *Au cœur de l'extraordinaire*, Éditions l'Horizon chimérique, 1991 (4ᵉ ed. 1997) dont ce texte est extrait avec son aimable autorisation.

que la jument a perdu les pouvoirs qu'elle possédait et que la propriétaire en avait été «réduite» à tricher.

Rhine s'est surtout rendu célèbre pour ses expériences avec les cartes de Zener, qui portent les cinq symboles suivants: cercle, carré, croix, étoile, trois lignes parallèles ondulées. Ces symboles devaient être transmis d'un «sujet-émetteur» à un «sujet-récepteur» par voie extrasensorielle.

Ces cartes étaient à l'origine fabriquées artisanalement avec de très gros défauts: les symboles pouvaient être distingués à l'endos des cartes!

Elles furent quelque peu améliorées et, à partir de 1936, confiées à la production industrielle, avec un intitulé précisant qu'il s'agissait de cartes ESP, brevet de J.B. Rhine. Ce qui n'empêchait pas des défauts majeurs, comme un dessin de trame s'étendant jusqu'aux tranches, ou encore un dos non symétrique (ce qui est *toujours* le cas)!

En plus de ces défauts, et contrairement à ce qui est répandu dans la littérature, les expériences elles-mêmes ne présentaient *aucune* rigueur (même pour l'époque). Sauf dans le dépouillement statistique. Mais ce qui est en cause ici, ce sont les *données*, non le *traitement* de ces données.

Le professeur Hansel, qui a mené une longue enquête sur les expérimentations faites à l'Institut de parapsychologie, a démontré qu'au moins deux des expériences les plus célèbres (Pratt-Woodruff et Pearce-Pratt) étaient entachées de fraude. De plus, Rhine, à de nombreuses reprises, a *trié* les données (les siennes ou d'autres) pour arriver ainsi à trouver du psi même là où d'autres parapsychologues convaincus n'avaient rien trouvé. C'est la fameuse découverte du «psi-missing», c'est-à-dire la découverte que les expériences où rien n'est paranormal... sont une preuve de paranormal! Voilà le type de raisonnement du chercheur Rhine que les médias ont pourtant qualifié du plus rigoureux et du plus scientifique des parapsychologues!

Gérard Croiset: «Le voyant qui n'a jamais failli»

Le médium peut-être le plus célèbre de notre époque, ou en tout cas celui qui a fait une des plus belles «carrières» de voyant de ce siècle, est certainement celui que la légende a vite surnommé «le voyant qui n'a jamais failli»: le Néerlandais Gérard Croiset.

Il était devenu célèbre par ses guérisons «paranormales», son don de retrouver des objets perdus, de localiser des personnes disparues et surtout, de résoudre quantité d'énigmes criminelles.

Les médias, toujours en proie à une tendance maladive à l'enflure, prétendent qu'il était «qualifié de paragnoste (au-delà des connaissances) par les hommes de science». Un ouvrage entier lui a été consacré par un journaliste américain, et il fut le héros d'une émission télévisée française du «Tribunal de l'impossible».

Peu de journalistes avaient, en réalité, fait correctement leur métier, et cela est d'autant plus flagrant à la lecture des résultats de l'enquête qu'a menée le journaliste néerlandais Piet Hein Hœbens. Hœbens s'était renseigné notamment sur celui qui était le mentor du voyant: le professeur Wilhelm Heinrich Carl Tenhæff, titulaire d'une chaire officielle de parapsychologie à l'Université d'Utrecht. Au passage, signalons que la chaire en question avait été créée spécialement pour Tenhæff en 1953.

L'enquête menée par Hœbens a démontré, entre autres choses, que Tenhæff avait *inventé* de toutes pièces certains propos pour accréditer l'idée que Croiset aurait apporté une aide efficace à la police lors de diverses affaires.

Hœbens a établi qu'une complicité liait les deux hommes: par exemple, le professeur fabriquait deux versions d'un même exploit de «son» voyant. L'une pour les Pays-Bas, relativement modeste (Le public connaissant assez bien les affaires policières se passant chez lui.) et l'autre dithyrambique, à usage externe (essentiellement chez les Anglo-Saxons) où la mesure et la rigueur (sans parler de la vérité tout court) n'étaient plus de mise.

5

James Randi: l'explication du magicien

par Philippe Thiriart[*]

James Randi est un prestidigitateur de renom, habile dans l'art de l'illusionnisme et fier de sa profession. Rien ne l'irrite plus que ceux qui ternissent la bonne réputation de la prestidigitation en l'utilisant de manière non avouée pour prétendre posséder des dons paranormaux.

Malheureusement, le public ne s'intéresse guère aux illusionnistes qui effectuent des exploits en reconnaissant à l'avance qu'il s'agit là de trucages. On se passionne davantage pour les individus qui effectuent les mêmes exploits en prétendant les accomplir grâce à leurs pouvoirs parapsychologiques.

Ainsi, James Randi est devenu le pourfendeur des métapsychistes, des médiums, des mages, des sorciers et des thaumaturges de toutes sortes, qui affirment posséder des pouvoirs de perception extrasensorielle, de télékinésie, de clairvoyance et de prémonition. Souvent, il a pu montrer que ces sorciers utilisaient des trucages tout à fait matériels; il a notamment dénoncé Uri Geller (voir chapitre 3).

---

[*]   Philippe Thiriart est professeur de psychologie au collège Édouard Montpetit et membre fondateur des Sceptiques du Québec. Ce texte provient du cahier *COOP* du collège Édouard-Montpetit, hiver 1990. Il s'inspire d'un article publié dans *Discover*, «Skeptical Eye, Taking the Magic out of Parapsychology».

On devine que les chercheurs en parapsychologie n'ont guère apprécié les interventions de James Randi – un «simple illusionniste» qui se prétend plus compétent qu'un scientifique aguerri. Conséquence: il a été évité et déprécié.

Le «Projet Alpha»

En 1979, James McDonnell, président du géant aéronautique *McDonnell Douglas* et fervent partisan du paranormal, lègue par testament 500 000 dollars à la *Washington University* de Saint-Louis afin d'ouvrir un centre de recherche consacré aux phénomènes parapsychologiques. Pour asseoir la respectabilité de ce laboratoire, c'est le physicien Peter Phillips qui en obtient la direction.

Pour Randi, convaincu que Phillips, ou tout autre homme de science, ne peut détecter les trucages d'un habile prestidigitateur, quel que soit l'équipement du laboratoire, l'occasion est trop belle. Avec son accord, deux jeunes hommes se présentent séparément au McDonnell Laboratory en prétendant posséder des pouvoirs psychiques.

Durant les trois années qui suivirent, Steven Shaw, 18 ans, et Michael Edwards, 17 ans, deux jeunes illusionnistes ayant développé un répertoire de trucs «paranormaux», passèrent plus de 120 heures à faire des expériences en laboratoire. De tous les sujets étudiés, ils furent considérés comme les deux seuls cas possédant véritablement des talents métapsychiques!

«Ces deux jeunes hommes sont les sujets les plus fiables parmi tous ceux que nous avons testés», déclara le professeur Phillips à la revue *Discover*. «Je veux rassembler davantage de preuves qui réussiront à convaincre la plupart des gens que ces garçons possèdent des pouvoirs paranormaux», ajouta-t-il.

Ainsi, au cours d'une expérience, un fil métallique était placé dans une fente ouverte dans un bloc de lucite. Au fur et à mesure que Steve Shaw caressait le fil, celui-ci commençait à se courber et finissait par se lever au-dessus de la fente. Les chercheurs du laboratoire McDonnell publièrent le compte rendu de cette démonstration dans la revue universitaire *Research in Parapsychology*.

Que s'était-il réellement passé? Avant l'expérience, Shaw avait profité d'un bref moment de distraction pour subrepticement courber la tige, puis l'avait placée à plat au fond de la fente. Par la suite, tout en la caressant doucement, il la tournait progressivement, permettant à la courbure de s'élever.

À une autre occasion, Edwards et Shaw s'étaient concentrés mentalement sur un appareil-photo polaroid appartenant à l'un des chercheurs. Celui-ci fut par la suite très surpris de découvrir des images surimposées aux photographies qu'il avait lui-même prises. Il rapporta dans *Research in Parapsychology* que les sujets semblaient «capables d'affecter un film photographique au point de produire des stries et des taches de lumière». En fait, les jeunes hommes avaient exposé une partie du film sans l'ôter de l'appareil.

De son côté, James Randi avait adressé plusieurs lettres aux chercheurs du laboratoire McDonnell pour souligner l'importance de la présence d'un illusionniste. Il offrait même ses services. Jamais il ne fut invité.

Les jeunes «médiums» furent, entre autres, invités par Walter Uphoff, un professeur de sciences économiques qui avait quitté l'enseignement traditionnel pour se consacrer au paranormal. Il dirigeait le *New Frontiers Center* à Oregon, dans le Wisconsin. Interrogé par *Discover*, il qualifia la déformation du métal comme «se situant au-delà des lois connues de la physique».

Son collègue Otto Schmitt fut surtout convaincu par le fait que les deux jeunes métapsychistes avaient réussi à perturber complètement l'affichage d'une montre numérique. En fait, Edwards avait un instant placé la montre dans un four à micro-ondes!

Randi et ses confrères n'ont pas prouvé que le paranormal n'existe pas; ils ont par contre montré que les plus «sérieux» chercheurs en parapsychologie ne semblent pas dignes de confiance, que ce soit par naïveté ou par malhonnêteté subconsciente de leur part.

C'est pourquoi la parapsychologie ne peut prétendre pleinement au statut de véritable science.

6

Démonstration de l'efficacité de la pizzalogie

Michel Bellemare

Je ne vous l'avais pas dit? Je m'adonne à cette technique divinatoire depuis environ deux ans et demi. Bien sûr, je n'en tire aucun profit, car je le fais pour moi et mes amis.

Cette discipline, somme toute assez récente – elle a environ deux ans et demi d'existence – s'inscrit dans la tradition d'autres techniques de voyance alimentaire, plus connues comme la lecture dans le marc de thé.

Il serait trop long de la décrire en détail. Disons, en gros, que l'on divise la pizza. Le positionnement du pepperonni dans les portions, la concentration de champignons, l'angle que font entre eux les morceaux de piments verts permettent de tirer des conclusions que deux ans et demi de statistiques n'ont pas démenties.

Tous ces calculs demandent un travail énorme où l'intuition n'est cependant pas exclue: en ce sens, la pizzalogie n'est pas seulement une science, mais un art.

Évidemment, j'entends les sceptiques me demander: «Comment la position du pepperonni sur ma pizza peut-elle influencer le destin de l'humanité?» Je dirai à ces incrédules que critiquer la pizzalogie sans la pratiquer n'est pas une attitude très scientifique.

«Pourquoi les piments verts auraient-ils une influence déterminante puisqu'on ne les retrouve pas dans toutes les pizzas?» J'avoue que ce point n'a pas été résolu, mais doit-on rejeter la pizzalogie en bloc à cause d'un détail?

Ce que je sais par contre, c'est l'incroyable efficacité des prédictions que permet la pizzalogie. Je mets au défi les astrologues de produire des prédictions aussi justes que les miennes.

– La fin du mandat d'un président américain coïncidera avec la fin de son couple.

– La famine accentue les tensions entre deux pays africains.

– La côte ouest américaine est secouée par un tremblement de terre, qui pourrait être meurtrier.

– Une percée dans la lutte contre le sida est envisageable.

Cours et consultations personnelles disponibles. Évidemment, tout cela n'est pas gratuit, car il faut énormément de travail... et ça creuse l'appétit.

7

Opération *Ouija*

Jean-Marc Hébert

L'extrémité des doigts sur la planchette, Regan fixait le tableau, les yeux rétrécis par la concentration: «Capitaine Howdy, ma maman est jolie, n'est-ce pas?»

W.P. Blatty, *L'Exorciste*

«Esprit, es-tu là?»

«Oui», a répondu l'esprit français. «Ja», a fait en écho l'esprit germanique. Et c'est ainsi qu'est né le *Ouija*.

Vous aimeriez étudier plus à fond ce jeu intrigant? Oubliez ça, car le «*Ouija* est un grand mystère», se hâte de nous prévenir (avec un certain esprit!) la maison Canada Games Co. qui commercialise ici-bas ce divertissement. Cette activité «mystérieuse» se veut en réalité une façon de communiquer avec les esprits qui accepteraient de répondre aux questions qu'on leur pose.

Ce jeu a connu différentes formes: tableau, planchette ou plaquette. On dit même que la première planche de *Ouija* daterait du VIᵉ siècle avant Jésus-Christ. Aujourd'hui, la forme la plus simple se compose de lettres disposées en un cercle ayant en son centre un verre retourné sur lequel un ou plusieurs participants posent le bout d'un doigt. Le verre se déplace alors d'une lettre à l'autre, dictant laborieusement les réponses que l'esprit contacté daigne révéler aux humbles mortels.

Une autre version emploie une planche en forme de cœur, montée sur des roulettes, qui glisse lorsque les participants y posent leurs doigts, et va pointer les lettres ou les symboles dictant la réponse des êtres de l'au-delà. Une version «améliorée» intègre un crayon à la planchette, permettant ainsi à l'esprit d'écrire directement, au lieu de bêtement pointer. Cette version a disparu aussi rapidement qu'elle était venue, les médiums lui préférant l'écriture automatique.

Vous vous demandez peut-être ce qui permet aux esprits d'entrer en communication avec nous à travers le *Ouija*? *Le Grand livre des sciences occultes* offre cette explication: «Pendant l'expérimentation, l'inconscient de chacun des participants se concentre en une entité collective (...) qui fait fonction d'*aimant* attirant l'entité désincarnée.»

Et pour ceux qui, naïvement, croiraient qu'un échec dans la transmission du message viendrait discréditer le phénomène, détrompez-vous! *Le Grand livre* nous informe que cela serait simplement dû «à un fluide négatif jaillissant d'une personne présente». Donc, que ça fonctionne ou non, les esprits sont là!

8

Une expérience de *Ouija*

par Pascal Forget

Inventé en 1890, le *Ouija* a vu ses droits du *Ouija* achetés en 1965 par la Parker Brothers, cette célèbre compagnie de jeux sur table. Un an plus tard, deux millions d'unités étaient vendus à travers le monde... plus que le Monopoly!

Mais malgré sa notoriété, le *Ouija* n'a toujours pas offert de preuves des «pouvoirs mystérieux» qu'on lui attribue.

Ma fascination pour le *Ouija* a commencé le vendredi 13 (Eh oui!) février 1998 vers midi 30, alors que plus de 100 000 auditeurs de CKOI FM se sont concentrés pour tenter de déplacer un pointeur de *Ouija*. Malgré les invitations des animateurs à «tous les esprits» qui pouvaient être présents, rien n'a bougé. Grande déception... Tous espéraient autant que moi, le sceptique de service, que l'expérience soit concluante. L'animateur avait même pris la peine de demander aux éventuels «esprits négatifs» de nous confondre. De plus, comme on l'a fait remarquer aux auditeurs doutant de la bonne foi des «vilains sceptiques»: «Que l'on croie ou non à quelque chose ne peut empêcher son existence».

Cette expérience m'a fait réaliser la première limite du *Ouija: le pointeur ne bougera pas si personne ne le touche.* Affirmation hérétique pour un objet censé bouger sans aide humaine? Que non!

Cette règle est clairement indiquée dans les instructions mêmes du jeu:

«Déposez l'indicateur sur la planche et **placez vos doigts légèrement mais fermement** (sans appuyer) sur l'indicateur; **ne pas vous accouder** pour lui permettre de se déplacer facilement et librement. L'indicateur devrait commencer à bouger après une à cinq minutes».*

La première supposition que l'on peut faire est donc qu'un participant dirige discrètement, peut-être même inconsciemment, la planchette. Les motivations pour tricher sont nombreuses: vouloir «faire peur» au groupe, lui faire une blague, ramasser des sous... Et si on demande au *Ouija* «Est-ce que X trompe sa femme», X a une bonne raison de tirer la planchette vers le «NON»!

Mais cela n'explique pas tout. Débarrassez-vous des tricheurs et des farceurs, et vous constatez que le pointeur continue malgré tout de se déplacer «de lui même». Que se passe-t-il donc?

Certains d'entre vous se disent peut-être depuis le début: «Mais bon sang! Ces participants ont les doigts posés sur la planchette, *sans s'accouder*... ça doit être fatigant!» Effectivement, tentez d'appuyer votre index contre celui d'une personne assise en face de vous. Essayez de garder vos doigts **parfaitement** immobiles. C'est impossible!

Des mouvements inconscients?**

Mais si on peut expliquer ces mouvements par la fatigue, comment expliquer en revanche que le pointeur se déplace **de façon cohérente** d'une lettre et d'un chiffre à l'autre, formant ainsi des mots et des phrases? En 1882 (soit avant la naissance du *Ouija*!) un certain William Carpenter a trouvé l'explication en la personne des «mouvements idéomoteurs», des mouvements involontaires et inconscients.

---

*   Tiré des instructions incluses dans le jeu de *Ouija* fabriqué par «Canada Games Company ltd».

**   Cette section a été rédigée par Bruno Lamolet.

C'est par exemple le cas du partisan d'une équipe de hockey qui manipule un bâton imaginaire. C'est le passager d'une voiture qui écrase avec son pied une pédale de frein imaginaire.

L'inconscient est très fort: une étude de l'Université du Connecticut a démontré que, si on suggère à l'auteur d'une action qu'il n'est pas l'auteur de cette action, il en sera convaincu!

L'étude portait sur la «communication facilitée», une technique controversée où un facilitateur soutient la main d'une personne lourdement handicapée et l'aide à utiliser un clavier d'ordinateur, par exemple en se laissant guider par les mouvements subtils de la main. La controverse vient du fait qu'on ne sait plus, à un moment donné, qui guide qui. Des personnes placées dans le rôle du facilitateur restaient persuadées que c'était la personne handicapée qui avait guidé leur main sur le clavier, même après qu'on leur eut expliqué l'origine inconsciente de leur propre mouvement.

«Ces données appuient l'hypothèse que la communication facilitée est un exemple d'écriture automatique, à l'instar de ce qu'on peut observer avec l'hypnose et les tables de *Ouija*, et que la capacité de produire l'écriture automatique est plus commune que ce qu'on pensait précédemment.»

C'est ce même phénomène qui fait que le radiesthésiste ou le sourcier sont persuadés que leur pendule ou leurs baguettes bougent seuls. Ce n'est d'ailleurs pas une coïncidence si les psychologues étudient les mouvements idéomoteurs avec un pendule.

Planchette de *Ouija* conçue pour glisser facilement sur le jeu, table du médium qui repose sur un seul pied, pendules et baguettes: tous ces instruments sont à toutes fins utiles des amplificateurs de mouvements.

Puisqu'au *Ouija*, les questions posées dirigent l'attention des participants vers une réponse souhaitée, les bras vont suivre... Multipliez cet infime déplacement par le nombre de participants, et le pointeur gagne en vitesse et en précision, formant mots et réponses. Plus la fatigue augmente, plus il devient difficile de contrôler les mouvements involontaires des muscles. Ce qui explique pourquoi les esprits deviennent de plus en plus volubiles à mesure que progresse la soirée...

Des réponses à la hauteur des questions

Quelles sont les questions posées au *Ouija*? En tout premier lieu, les éternels soucis de cœur. Le manuel d'instruction du *Ouija* indique même des questions-types à poser: «Y a-t-il un homme célibataire parmi nous?» «Est-il en amour?» «Épelle le nom de sa bien-aimée.» Ces questions sont simples pour un groupe d'amis. Combien de fois le *Ouija* a-t-il servi à rassurer des tourtereaux en devenir?

D'autres questions sont aussi proposées: «Qui sera le prochain Premier ministre?» «Pleuvra-t-il demain?» «Serait-il sage d'investir dans telle propriété?» «Vais-je trouver un travail?» On croirait avoir affaire aux questions vagues et peu compromettantes qui sont à la base des horoscopes... Avec un outil divinatoire si puissant, pourquoi ne pas poser des questions dont les réponses aideraient à sauver des vies, faire avancer la science, contribuer à la paix dans le monde?

Non seulement nous suggère-t-on de poser des questions banales, mais en plus les instructions laissent entendre que les réponses ne sont pas toujours cohérentes: elles doivent parfois être interprétées! Et comme il est facile d'interpréter une série de lettres prise au hasard! «J», «U» et «T»: juillet, Juliette, jute? Qui plus est, le *Ouija* a une autre échappatoire: les réponses fautives peuvent être attribuées à un esprit farceur ou maléfique...

Lors de l'expérience de groupe à CKOI, de même que lors de la soirée sceptique qui a suivi, jamais le *Ouija* n'a pu répondre à des questions dont les participants ignoraient la réponse.

Pourquoi le jeu est-il toujours populaire? Le thème, peut-être: réponses aux questions existentielles, côté «occulte» séduisant... Et il offre une bonne raison de tamiser les lumières en compagnies d'amis du sexe opposé!

Comment dépister la tricherie au *Ouija*

Les méthodes pour exclure tout risque de tricherie sont bien simples: essayez tout d'abord de jouer sans jamais toucher au pointeur. S'il se déplace vraiment tout seul, sans que quiconque n'y ait touché ni n'ait touché à la table, surprise!

Si vous tenez absolument à y toucher, faites-le les yeux bandés: personne ne pourra alors vous accuser d'avoir dirigé le pointeur vers une lettre en particulier. Et pour contrer tout risque de fraude, Henri Broch (*Au cœur de l'extraordinaire*) et Susan Blackmore (*Test your Psychic Powers*) proposent qu'en plus de bander les yeux, on remplace des symboles du jeu par des numéros choisis au hasard. Ainsi, aucun des joueurs ne peut savoir à quelle lettre correspond chaque symbole. On nomme deux secrétaires qui prennent note de tout ce qui se passe, et à la fin de la séance, on essaie d'établir une relation entre les symboles et un quelconque message.

Jusqu'ici, toutes les expériences effectuées dans ces conditions ont permis de voir un pointeur bouger... de façon totalement incohérente.

Première parution: *Le Québec Sceptique*, automne 1998.

9

Un siècle et demi de spiritisme pour une mauvaise farce...

Bruno Lamolet

Bien que la croyance selon laquelle les esprits des morts puissent venir nous parler soit très ancienne, le spiritisme tel qu'on le connaît a débuté il y a 150 ans aux États-Unis. Plus précisément à Hydesville, dans l'État de New York.

Margaret et Kate Fox, âgées respectivement de huit et six ans, disaient pouvoir entrer en contact avec un esprit. L'esprit s'exprimait par petits coups secs bien audibles. Par exemple, un coup pour «oui», deux coups pour «non». C'est Leah, la troisième sœur Fox, âgée de 31 ans à l'époque, qui entreprit d'exploiter cette situation. Elle créa la *Society of Spiritualists* et emmena ses jeunes sœurs en tournée à travers les États-Unis. Les sœurs Fox traversèrent ensuite l'Atlantique et firent connaître le spiritisme aux Européens: Margaret se produisit devant la reine d'Angleterre, et Kate devant le tsar de Russie. Dans son ouvrage *Researches of Phenomena in Spiritualism* publié en 1874, le grand physicien William Crookes, futur membre de la *Society for Psychical Reasearch*, se déclare convaincu de l'authenticité du phénomène à la suite d'une rencontre avec Kate Fox à Londres, en 1871.

Et pourtant, dès 1850, plusieurs observateurs critiques affirmaient que les coups produits en présence des sœurs Fox étaient en réalité des craquements de doigts et d'orteils. Ces critiques n'avaient pas empêché la réputation des sœurs de croître. Mais en 1888, après le décès de Leah, les deux plus jeunes avouèrent: elles avaient triché. Elles faisaient effectivement craquer leurs doigts et leurs orteils. C'est ainsi que s'explique Margaret dans le *World* du 21 octobre 1888:

«Ma sœur Kate et moi étions de très jeunes enfants quand cette terrible supercherie s'amorça. Nous étions des enfants espiègles et cherchions simplement à faire peur à notre chère mère qui était une très bonne personne et facilement craintive.» Margaret explique ensuite comment elle et sa sœur faisaient rebondir une pomme sur le plancher de leur chambre pour produire des coups sourds. Quand elle ne le supporta plus, leur mère en parla aux voisins. Puis, quand tant de personnes vinrent nous voir, nous fûmes nous-mêmes effrayées et, dans notre propre intérêt, nous avons dû continuer malgré nous. Personne n'a jamais suspecté que nous trichions puisque nous étions si jeunes. Nous étions dirigées intentionnellement par notre sœur aînée et, inconsciemment, par notre mère. Nous l'avons souvent entendue dire: Y a-t-il un esprit désincarné qui a pris possession de mes enfants?»

«À Rochester, notre sœur aînée organisa des exhibitions. Des foules nombreuses venaient nous voir, et cela lui rapportait 100 à 150 $ chaque soir.»

Il est fascinant de constater qu'il a suffi de presque rien pour donner le jour à une croyance aujourd'hui si répandue: deux jeunes filles qui voulaient faire peur à leur mère, mais qui se sont retrouvées prises au piège d'une interprétation superstitieuse qu'elles n'avaient pas prévue et qui ont été exploitées à des fins mercantiles. Kate et Margaret ont inventé une croyance qu'elles n'ont pas su dominer.

Elles continuèrent leurs tournées en 1889. Mais, désormais, c'était pour démystifier le spiritualisme, montrer comment elles réussissaient leurs exploits et dénoncer les charlatans. Leur étoile pâlissant, les sœurs tentèrent de revenir sur leur confession et reprendre leur carrière de médium, mais en vain... Le mouvement spiritualiste ayant acquis une vie propre, il survécut et s'épanouit.

En fait, les esprits ont alors commencé à faire des choses de plus en plus extraordinaires. Des objets sont apparus et ont lévité, des esprits se sont matérialisés ou ont pris possession du médium, on a entendu des musiques venant de nulle part, des gens ont parlé à des défunts... Aujourd'hui, ces exploits ne sont plus très à la mode, et les médiums n'ont plus besoin d'une salle sombre. Ils agissent en pleine lumière et sont capables de contacter les esprits instantanément, à la demande de l'auditoire d'une émission de télé!

Ils se sont adaptés à notre société de consommation.

Références

HANSEL, C.E.M. *ESP and Parapsychology A Critical Re-Evaluation*, Prometheus Books, Buffalo, 1980.

10

Le test Sceptique: la rencontre de deux mondes

Jean-René Dufort

L'assistante de Mme Lucienne Gagné pensait bien faire un coup de publicité en attirant vers son kiosque les caméras de l'émission de journalisme d'enquête *J.E.* Elle était toute souriante et frémissante en voyant la journaliste Jocelyne Cazin s'approcher. Le temps d'un bonjour, et Jocelyne s'écarte pour présenter Alain Bonnier... et sa pile de formulaires d'inscription au *Défi sceptique*. 750 000 $ à qui démontrera l'existence d'un phénomène paranormal! Quelle plaie, ces Sceptiques!

Faut dire qu'ils avaient joué d'audace. Aller se promener en plein Salon de l'ésotérisme avec les caméras de *J.E.* et y proposer à tout vent le *Défi sceptique*, faut vivre ça une fois dans sa vie! Nous étions trois chrétiens dans cette fosse aux lions, à la recherche de candidats. Nous avons discuté avec cinq voyants. De ce nombre, trois ont accepté de relever le Défi devant les caméras. Mme Gagné fut la seule à tenir parole. Il n'en fallait pas plus pour gagner notre respect.

Mme Gagné est chirologue. Elle aurait le pouvoir, entre autres, de déterminer le nombre d'enfants d'une personne en scrutant sa main. Elle peut même (c'est dans son dépliant) vous examiner à distance si vous lui envoyez par télécopieur une photocopie de votre main.

Le test préliminaire fut donc simple. On fournirait huit mains photocopiées à Mme Gagné, et huit cartes sur lesquelles seraient écrits 0, 1, 2 ou 3 (pour représenter le nombre d'enfants). Il suffirait de placer les bonnes cartes sur les bonnes mains. Performance demandée: six bonnes réponses sur huit. L'enfance de l'art, selon Mme Gagné.

Elle se présente au rendez-vous avec son mari, un peu craintive. Alain Bonnier, Jocelyne Cazin et moi-même l'attendons. Elle s'installe dans le bureau d'Alain pour se pencher sur les mains cobayes. Elle met environ 20 minutes pour associer chaque main aux nombres d'enfants puis, confiante, se dirige vers le tableau des résultats.

On vérifie la première main: «2», bonne réponse. Mme Gagné sourit. La deuxième: encore «2». Autre bonne réponse. Une goutte perle à la tempe d'Alain Bonnier: plus que 4 autres bonnes réponses, et son compte est vide! On continue. Une première mauvaise réponse, une deuxième, une troisième, une quatrième, une cinquième et une sixième! Compte final, deux sur huit.

Le meilleur est à venir: appelée à commenter, Mme Gagné ne semble nullement démoralisée. Dans plusieurs cas, dit-elle, elle est «passée proche», et pour elle, deux bonnes réponses sur huit, c'est tout de même très bien. Deux clients sur huit sortent de son bureau en sachant «leur avenir», c'est mieux que la météo! Alain fait remarquer que deux sur huit, c'est moins que ce que le hasard permet de faire.

Cette petite discussion s'épuisant, Mme Gagné et son mari nous quittent. Deux mondes ont tenté sans succès de se parler. Celui qui trouve que deux sur huit, c'est super, et celui qui trouve que deux sur huit, ce n'est pas ce qu'on peut considérer comme une preuve!

11

Boules de cristal et feuilles de thé

Claire Lamarche

Ubi dubium ibi libertas: là où il y a doute, il y a liberté.

Proverbe latin

Il me semble, du moins si j'en juge par ce qui se passe dans mon entourage, que l'on consulte de plus en plus de voyantes, d'astrologues, de graphologues et de médiums de toutes sortes. Le monde normal est peut-être en récession, mais le paranormal, lui, fait des affaires en or!

Il ne se passe pas une semaine sans que quelqu'un me glisse à l'oreille: «J'arrive de chez la voyante, et elle m'a annoncé des choses absolument fantastiques!» Je m'informe: «Ah oui? Comme quoi?» On me répond: «Je vais changer de *chum*» ou «Il paraît que je vais faire un grand voyage» ou «Je vais gagner à la loterie» ou «Au travail, on va me confier de nouvelles responsabilités».

Pour ma part, même s'il m'est arrivée d'aller consulter des voyantes pour le plaisir, avec des copines, je suis toujours sceptique, car chaque fois que nous avons reçu des astrologues ou des tircuses de cartes en studio – ce qui nous arrive au moins une fois par saison – on m'a annoncé que j'allais changer de *chum*! J'ai pourtant toujours le même vieux *chum* depuis 15 ans et je ne suis pas prête d'en changer! Et lui non plus, que je sache, ne veut pas changer de blonde!

Question d'attitude ?

Il est vrai qu'il suffit qu'on nous annonce que quelque chose de nouveau risque de nous arriver pour que, tout de suite, même si on n'y croit pas, on soit tout retourné. Mais ce n'est pas parce qu'un devin des temps modernes nous annonce qu'il se passera peut-être quelque chose d'excitant que cela va forcément se produire !

Bien sûr, si la voyante annonce à une jolie femme célibataire qu'elle va bientôt rencontrer un beau jeune homme, il est tout à fait possible que ça arrive. C'est même dans l'ordre des choses ! D'autant plus que, devenant subitement plus attentive à cause de la prédiction, cette jeune et jolie personne sera plus ouverte, plus disponible, pour une éventuelle rencontre. Vu ainsi, on ne peut que souhaiter que tous les célibataires, hommes et femmes, pour lesquels la solitude est pénible, se précipitent au plus vite au bureau de la voyante le plus proche !

Il faut cependant être conscient que l'inverse peut être tout aussi vrai. Supposons, en effet, que la voyante voie dans sa boule de cristal que la personne avec qui vous vivez ne vous convient pas. Qu'est-ce qu'il risque de se passer ? Eh bien, vous allez, dès le lendemain, comme malgré vous, commencer à regarder votre compagnon de travers, à lui trouver tous les défauts que la voyante vous a décrits, et qui auparavant ne vous dérangeaient en rien, avec le résultat que vous le laisserez peut-être tomber à la première occasion ! Très dangereuse, cette prédiction !

Conclusion : il ne faut pas rêver de châteaux en Espagne lorsque la voyante nous annonce qu'on va bientôt gagner le gros lot...

Malgré tout, on y croit plus qu'on ne se l'avoue, à ces prédictions ! Et pas seulement les femmes ! Les hommes aussi ! Même certains hommes d'affaires consultent régulièrement des voyantes, astrologues ou cartomancienne, avant de faire leurs investissements. Évidemment, comme ils ne vont pas s'en vanter sur la place publique, on ne saura jamais si ça marche ou pas...

Psychologie 101

La voyante, qui a déjà vu des centaines de personnes défiler dans son bureau, sait lire un visage, une démarche, une façon de s'asseoir. Au premier coup d'œil, elle voit que tel visage est plutôt angoissé ou stressé, tel autre plutôt confiant ou épanoui. Elle remarque comment le client s'asseoit sur le bord du fauteuil ou, au contraire, comment il prend ses aises. Elle observe les gestes, hésitants ou assurés, la voix, qui porte loin ou à peine audible, la façon de parler, rapide et nerveuse ou lente et posée, le regard perçant ou timide.

Le reste est affaire de conversation. Car la personne qui consulte, même si elle s'est juré de ne rien dire, finit par parler. Entre deux prédictions, elle se livre. Les meilleures voyantes sont évidemment de fines psychologues!

Et si je prenais une heure pour vous dire, cher lecteur, chère lectrice, que vous êtes une personnalité très attachante, que vous êtes d'une intelligence remarquable, que vous irez loin dans la vie, que vous avez une foule de projets sur le point de débloquer, que de grands changements se produiront prochainement dans votre vie, et que bientôt vous vivrez une grande et belle histoire d'amour, je suis convaincue que vous affirmeriez que je suis une excellente voyante!

Qui n'aime pas entendre parler de lui? Qui n'aime pas entendre un inconnu en supposé contact avec des puissances surnaturelles vanter ses qualités et tracer un portrait reluisant de son futur?

Et si, au fil des prédictions, il y en a une ou deux, ou même dix, qui ne nous conviennent pas du tout, on s'empressera de les oublier pour plutôt s'attacher à celles qui tombent pile, à celles qui font notre affaire. Et bien sûr, c'est de celles-là qu'il sera question lorsqu'on avouera à nos amis que nous avons consulté une voyante.

Nous avons tous besoin de croire en quelque chose, de croire que quelqu'un, quelque part, peut nous dire que tout ira bien. Mais la grande force d'une voyante, ce n'est pas, à mon avis, le don de prévoir l'avenir, mais plutôt une intuition hors du commun qui lui dicte ce que la personne qui consulte a le goût et le besoin d'entendre.

Et si cette intuition fait qu'on sort ragaillardi du bureau d'une voyante, si elle fait qu'on peut ensuite affronter la vie avec détermination et enthousiasme, si elle nous donne la force de continuer à faire les efforts nécessaires pour réaliser nos rêves, alors une voyante... pourquoi pas?

Première parution: *Le Lundi*, 30 avril 1994, page 5

12

La responsabilité des médias

Pierre Bourgault

Je n'ai jamais aimé les intervieweurs agressifs, mais j'en ai connu certains qui, sans être agressifs, savaient poser les bonnes questions et me pousser, ou en pousser d'autres, dans nos derniers retranchements.

Aujourd'hui, on ne peut pas dire qu'ils soient légion. Bien au contraire, nous avons affaire, plus souvent qu'autrement, à des intervieweurs d'une complaisance extrême qui multiplient les ronds-de-jambe devant des personnes qu'ils devraient dénoncer avec virulence.

J'en veux un exemple. Jojo Savard, l'astrologue patentée, qui vend partout sa camelotte avec une impudeur sans pareille. Elle a droit, presque partout, à des égards aussi suspects que condamnables. Cette semaine, c'est Sonia Benezra qui la recevait. Or, quelles que soient les qualités de cette dernière, et elles sont grandes, nous avons assisté à un show presque dégradant, tant l'astrologue s'est honteusement servie de l'animatrice pour proclamer ses talents de démagogue et d'imposteur.

Je parle ici d'une complaisance coupable. Va pour la liberté d'expression. La Savard, comme n'importe qui, a le droit de proférer toutes les insanités qu'on voudra sur toutes les tribunes qu'on lui offre. Mais je m'insurge quand on lui offre sur un plateau d'argent des plages considérables de publicité gratuite où elle ne fait que vendre sa salade sans qu'on lui pose jamais de questions sur la qualité de son produit ou sans qu'on l'interroge jamais sur la véracité de ses affirmations.

N'importe quel écrivain peut voir son livre descendu en flamme par le premier venu, et n'importe quel vendeur de char doit répondre de sa pratique devant l'Office de protection du consommateur. Mais la Savard peut pérorer tout son saoul, annoncer ses services, présenter son dernier livre, dire n'importe quoi, n'importe comment, mousser son commerce devant la mine réjouie et approbatrice de l'animatrice sans que personne n'y trouve rien à redire. Je dis que cette complaisance est inacceptable et qu'il serait grand temps qu'on y mette fin.

Cela est d'autant plus déplorable que Sonia nous a présenté, à la même émission, un soi-disant médium dont l'imposture était si flagrante qu'il en était lui-même mal à l'aise. Encore là, pas une question, pas un sourire sarcastique, pas le moindre doute dans l'œil de l'animatrice.

Liberté d'expression? Non, liberté de commerce sans contrainte et sans surveillance. Long «commercial» à peine déguisé pour un médium qui prétend tout voir puisqu'il affirme sans gêne: «J'te vois un intellect pour les mots». Qui osera protester quand il se fait dire qu'il a un intellect pour les mots? Moi, qui n'ai pas cette qualité, je proteste. Je proteste d'autant plus vigoureusement que l'entrevue de complaisance est devenue, à la télévision et à la radio, la norme plutôt que l'exception, et que cette pratique mène tout droit à la désinformation et à la tromperie médiatisée.

La citation de la semaine

Comme citation de la semaine, j'aurais pu retranscrire «in extenso» l'entrevue de Savard. Mais son discours sans queue ni tête devient, écrit, proprement indéchiffrable. Je n'ai donc retenu que quelques perles:

«Moi, j'ai tout le temps un ange avec moi.» «Moi, c'que j'ai vécu au niveau de la mort. Moi, chu morte une fois à 20 ans.» «On vient ici pour cristalliser.» «Quand ça va mal, mets-toi du blanc et du violet.» «Méfions-nous des gens qui jouent aux médiums.»

Voilà! Si le ridicule ne tue pas, c'est qu'on le laisse s'épanouir sans jamais contester. Et si la Savard peut sévir, c'est qu'on ne lui fait pas payer sa publicité...

Première publication: *Le Devoir*, 3 novembre 1994, p. B8

13

Cassettes disponibles

Pierre Foglia

Quand j'étais petit, dans les fêtes de village, des bohémiennes lisaient l'avenir dans nos mains pour quelques sous. On appelait leur pratique la chiromancie. Du grec *chiro*, la main. Et de *mancie*, un suffixe qui suggère la divination.

La chiromancie n'existe plus. Aujourd'hui, ce sont des chiro*logues* qui lisent les lignes de la main dans des centres de chiro*logie* à Westmount. Logie de *logos*, le discours. Et de *logia*, la théorie. La pratique divinatoire est devenue une science.

Dans la revue *Femme Plus*, numéro de janvier 96, une éminente chirologue, du très chic Centre de chirologie de Westmount, explique qu'elle exerce une profession au même titre que la médecine ou la psychologie.

La bohémienne de jadis tirait bêtement notre ligne de chance. La chirologue d'aujourd'hui explore notre poorya punya, comme je viens de le lire dans la documentation du Centre de chirologie. Qu'est-ce que le poorya punya? Tout connement la ligne de chance, mais en langue hindi... Comme disaient les évêques de jadis: «Parlez-leur en latin, ils sont plus portés à croire quand ils ne comprennent rien».

* * *

Voici des extraits de l'enregistrement d'une vraie consultation au Centre de chirologie de Westmount. La cliente se prénomme Jeanne-d'Arc, la chirologue, Marie-Claire. La consultation a duré environ 50 minutes.

PREMIÈRE PARTIE (T'es belle, t'es bonne, t'es fine.) *Tu as une très belle âme, très forte, née pour la communication... Ce qui m'impressionne, c'est ta créativité, la force de tes lignes de cœur et de vie... Tu as un anneau en Vénus, ce qui est très rare, nous n'en avons qu'une dizaine dans toutes nos empreintes...*

DEUXIÈME PARTIE (T'es belle, t'es bonne, t'es fine, mais...) *Tu as un îlot sur ta ligne de tête qui te cause beaucoup de stress et pourrait même provoquer des migraines... Tu as des lignes d'anxiété...*

TROISIÈME PARTIE (Tu seras tellement plus belle et plus fine si t'achètes la cassette.) *Pour gérer ton stress, je te suggère des leçons de «Self-Realization Fellowship» qui a été fondé par le maître Paramahansa Yogananda. Mais commence par son livre «Autobiographie d'un yogi».* Ensuite, tu pourras commander les cassettes du maître... En un an, tu parviendras au Kriya Yoga, la forme la plus avancée de la méditation... Tu devrais demander à ton mari de méditer avec toi, mais l'idéal, ce serait que je vois ses mains à lui aussi... Tu es vraiment quelqu'un de formidable. Tu as un potentiel extraordinaire. Sais-tu que tu ferais toi-même une excellente psychologue? Tu as tous les outils. On donne ici un cours de chirologie en dix semaines qui te révélerait beaucoup de choses sur tes possibilités... Reviens me montrer ta main dans quelques mois, je veux voir comment elle se comporte. Comme je te l'ai dit, les lignes changent, évoluent...

COÛT DES PRODUITS ET SERVICES
suggérés à Jeanne d'Arc durant la consultation:

La cassette de *Self-Realization* du yogi machin,	49,50 $
Le livre du yogi machin,	35,00 $
Une consultation pour le mari de Jeanne-d'Arc,	56,98 $
Une seconde consultation pour Jeanne-d'Arc,	56,98 $
Un cours de chirologie de dix semaines,	225,00 $
Total:	423,46 $

Cela n'inclut pas les deux pierres dont Jeanne-d'Arc avait absolument besoin pour son évolution, 20 $. Et un mantra sur cassette, une œuvre d'amour, 12 $.

Quand j'étais petit, on nous mettait en garde contre le talent de pickpocket des bohémiennes, capables de vous faire les poches en vous disant la bonne aventure. On voit que les chirologues ne sont pas moins habiles. Mais, bon, leur méthode est plus... scientifique!

N'oubliez pas que cela se passe à Westmount, dans un environnement chic et de bon goût. On est loin du *freak show* de Jojo Savard. Les mains de Ginette Reno et de Roy Dupuis sont étampées en bonne place dans «la galeries des empreintes» du Centre. La cassette du mantra est l'œuvre de Serge Fiori, l'ex-Harmonium. Les plogues médiatiques sont somptueuses, deux passages à Claire Lamarche, avec participation de Marie Carmen, Mitsou, etc.

On est loin du *freak show* de Jojo Savard, mais entre vous et moi, c'est exactement la même débilitante escroquerie...

Vous savez quoi, à propos de Jojo Savard?

Elle vous cache la forêt. Dans l'arrière-cour du Nouvel âge où elle trône, outrageante et débordante poubelle de l'ésotérisme, elle vous cache un monde grouillant de rats, de cafards, de cloportes qui vont tranquillement à leurs affaires de plus en plus prospères, qui envahissent les ondes, les institutions, les gouvernements, les corporations (psychologues, infirmières), les universités comme les écoles primaires, en plus d'escroquer, d'abuser des milliers de gens comme Jeanne-d'Arc, en prétendant les aider à réaliser pleinement leur potentiel. Comment?

Ce ne sont pas les méthodes qui manquent. Chirologie. Holotropie. Énergie intuitive. Lâcher-prise. Macrobiotique. Graphoanalyse. Algues. Pollen frais. Réflexologie. Jin Shin Do. Bain flottant. Reiki. Nage avec les dauphins. Irrigation du côlon. Cristaux. Hypnose. Digitopuncture (par correspondance). Énergie angélique, etc.

Cassettes disponibles.

* * *

Je ne vous ai jamais parlé d'Édouard?

Ah! Édouard. Il enseignait le taï chi à une des mes amies. Il lui avait expliqué que le taï chi l'aiderait beaucoup à réaliser sa conscience christique et que ce serait aussi très bon pour ses jointures, son foie, sa vésicule biliaire, en plus de lui éviter des troubles cardiovasculaires.

C'est vrai. Mon amie n'a jamais eu de troubles cardiovasculaires. Mais Édouard, si! Un gros accident cardiovasculaire, après 12 ans de taï chi! Oups! Mauvaise réclame! Sans compter qu'il a failli y rester. On l'a su par une lettre qu'il a adressée à mon amie: *Madame, hospitalisé d'urgence à la suite d'une hémorragie cérébrale très sérieuse, je serais certainement mort sans la main de lumière qui veillait sur moi, je vis actuellement ma résurrection... Hélas, sans économies ni assurances, je me retrouve fort dépourvu et fais appel à votre générosité en vous demandant un don de 100 $ ou selon vos disponibilités...*

Cré Édouard. Je pense qu'il va mieux. Il y a quelque temps, j'ai vu qu'il s'annonçait dans le *Voir*. Conférences sur l'attraction sexuelle et le tantrisme.

Cassettes disponibles.

Première parution: *La Presse*, 2 mars 1996.

14

Les secrets des voyantes

Stéphane Duchesne

Et si je vous disais que je vous connais, que je vous connais même très bien.

Il vous arrive d'être extraverti, affable, sociable, alors qu'en d'autres moments vous êtes plutôt réservé. Vu de l'extérieur, vous semblez discipliné et en contrôle de vous-même; mais en réalité, vous êtes mal assuré et inquiet, vous questionnant sur la justesse de vos décisions. Vous savez rester ferme face à la stupidité et l'obstination, et vous avez même une certaine tendance à être sceptique...

Cela vous décrit assez bien?

Relisez maintenant ce paragraphe, mais en imaginant qu'il s'applique à l'une de vos connaissances. Ce qui semblait vous décrire si bien semble maintenant s'appliquer tout autant à votre voisin, votre sœur ou votre père.

En fait, ce paragraphe, c'est le type même de déclaration fourre-tout que l'on retrouve dans tous les manuels d'astrologic et dans la bouche des «voyants». Une connaissance de base de la psychologie suffit pour composer ccs textes qui vont, par la force des choses, viser juste. C'est la base même de la technique des astrologues, médiums, voyants et autres diseurs de bonne aventure.

Mémoire sélective

En 1948, Bertram Forer a utilisé un de ces textes pour démontrer le phénomène de «validation personnelle». Le texte, extrait d'un livre d'astrologie, fut distribué à une classe d'étudiants en psychologie. Chacun reçut le même texte, mais Forer leur laissa croire que chacun recevait une description différente, basée sur un test de personnalité effectué la semaine précédente.

Invités à évaluer sur une échelle de 0 (pauvre) à 5 (parfaite) la justesse de cette description, seulement 5 étudiants sur 39 donnèrent une note inférieure à 4! La moyenne fut de 4,3 sur 5.

L'effet Forer, ou «validation personnelle», se définit comme la capacité que nous avons, devant une description contenant à la fois des généralités et des faits précis, à «oublier» les énoncés faux et à amplifier la justesse des autres. C'est une variante du concept de «mémoire sélective».

La façon de présenter la description est un facteur déterminant. Chez les sujets qui croient déjà au paranormal, le texte sera mieux noté si sa source présumée est «extraordinaire» (les lignes de la main, le tarot, etc.) plutôt que «traditionnelle» (un test psychologique). Vous aurez deviné que ce sont ces mêmes personnes favorables au paranormal qui fréquentent les voyants, d'où une prédisposition à mieux se reconnaître dans le discours qui leur sera présenté...

Mais les détails personnels?

Pourtant, malgré son efficacité, la méthode de la description générale ne suffit pas à expliquer la forte émotion ressentie par plusieurs après une consultation d'un voyant. Souvent, les clients en ressortent en effet profondément impressionnés, persuadés que seul un pouvoir surnaturel a pu révéler au voyant tant de détails personnels. Pourrait-il y avoir une autre explication?

Le travail du voyant commence bien avant la rencontre. Il doit tout d'abord posséder une bonne connaissance de la nature humaine. Connaître certains grands traits de personnalité communs à la majorité, ou quelques événements susceptibles de s'être produits dans la vie de chacun de nous: décès, maladie, voyages, déménagements, problèmes financiers... La liste est longue.

Un bref survol des statistiques et sondages peut permettre de dégager les tendances générales et les opinions en vogue, le tout déjà classé selon le sexe, l'âge ou la provenance.

Le voyant peut ainsi construire une liste de phrases *tout usage* qui pourront être utilisées à tout moment. Ce «profil universel», semblable à celui donné au début de cet article, sera raffiné au fur et à mesure de l'entretien, selon les réactions du client.

Ainsi, le voyant dispose déjà de suffisamment de données pour en surprendre plus d'un. Dès l'entrée du client, il peut déjà évaluer son sexe, son âge, son ethnie, ce qui lui permet d'adapter son discours, alors que le client n'a encore rien dit! L'habillement, l'accent, la posture ou la démarche permettent d'affiner encore le discours.

Les Anglais appellent cela le *cold reading*, que l'on pourrait traduire par «lecture de la personnalité à froid». Dans son article *The Cold reading technique*, D. L. Dutton présente un extrait de conversation entre une voyante appelée Betty et sa cliente, Maureen.

Cliente: «Bonsoir, Betty.»

Voyante: «Bonsoir, Maureen.»

Cliente: «Voyez-vous quelque chose sur ma mère?»

L'entretien est à peine commencé que, déjà, la voyante a pu déterminer le sexe et l'âge approximatif de sa correspondante, et surtout, le sujet qui l'intéresse: sa mère est décédée.

Dis-moi qui tu es, je te dirai... qui tu es!

Durant la consultation se développe alors, subtilement, un véritable dialogue entre le voyant et son client. Le voyant, par d'habiles questions déguisées et par l'observation attentive des réactions du client, ira chercher les informations qui lui manquent. S'il maîtrise bien son art, le client n'aura jamais conscience d'avoir fourni quelque information que ce soit.

Une personne qui consulte un voyant le fait généralement parce qu'elle a un problème à résoudre. Elle est donc prédisposée à en parler, et le voyant sait en tirer profit. Ainsi, en disant «Je vois une douleur dans la partie inférieure du corps?» (Remarquez l'intonation!), le voyant va amener le client à répondre, par exemple: «C'est vrai! J'ai même subi une opération, il y a deux mois!» Même une réponse négative, ou un simple froncement des sourcils, permet au voyant de réaliser qu'il est sur une mauvaise piste.

L'information obtenue est retenue, modifiée puis réutilisée plus tard au cours de la consultation; le client a généralement oublié qu'il fut lui-même à l'origine de cette information.

Ray Hyman, psychologue à l'Université d'Oregon et cofondateur du CSICOP (*Commitee for the Scientific Investigation of Claims of the Paranormal*), rapporte qu'au cours d'une consultation dont il a été témoin, la cliente a parlé durant 75% de la séance. Questionnée par la suite, elle a formellement nié avoir dit quoi que ce soit, et a félicité le voyant!

Bref, la technique du *cold reading* pourrait se résumer ainsi:

- bâtir un «profil universel» à partir de la psychologie, des statistiques et des sondages;
- raffiner le profil universel selon l'âge, le sexe et autres caractéristiques du client;
- «aller à la pêche»;
- toujours faire preuve d'une grande confiance en soi.

Jumelées à un bon sens de l'observation, à une grande capacité d'écoute et à un certain talent d'improvisation, ces quelques règles assurent au voyant une carrière prometteuse.

Incidemment, la technique du *cold reading* ne se limite pas au paranormal. Du vendeur de voitures d'occasion au psychologue, en passant par l'animateur de ligne ouverte, cette technique peut être profitable pour quiconque a un avantage à tirer d'une meilleure compréhension de la personnalité de ses clients.

Une bonne connaissance de ce phénomène représente donc un outil indispensable au développement d'un esprit critique devant les interactions humaines en général.

Références

DUTTON, D. L. «The cold reading technique», *Experientia*, vol. 44 (4), 1988, p. 326 à 332.

HYMAN, Ray. *Cold Reading: How to convince strangers that you know all about them*; en ligne: http://www.balaams-ass.com/journal/warnings/soulwin1.htm

NOVELLA, Robert. «Cold Reading», *The Connecticut Skeptic*, vol. 2 (2), 1997, p. 3; et:
http://ourworld.compuserve.com/homepages/ctskeptic/coldread.htm

RANDI, James. *Flim-Flam!*, Prometheus Books, 1982.

The Skeptic's Dictionary; en ligne: http://wheel.dcn.davis.ca.us/~btcarrol/skeptic

15

Comment repérer
les ingrédients ésotériques

Isabelle Burgun

Vous pouvez trouver dans les journaux que j'appellerai «parallèles» (ésotérisme, paranormal, médecines douces, etc.) les mêmes ingrédients que dans une salade. N'avalez pas tout cru!

À la base, des mets épicés et exotiques: du mystère avec une palette de mythes (anges, démons et autres), quelques kilos de professionnels (voyants, médiums, magiciens, etc.) saupoudrés d'inconscient (rêves, aspirations, amour). La présentation du plat est truffée de bons conseils: mieux manger, ne plus fumer, garder du temps pour soi, s'écouter... Quant à la préparation du plat:

– **L'art de diluer**. Aucune explication n'est servie dans les articles. Place plutôt aux témoignages: «Elle est clairvoyante et la police ne la croit pas», «Elle se projette par la pensée», «Comment j'ai guéri un sidéen»...

– **Affirmer ce que personne ne peut réviser**. Dans «La spirituathologie est-elle une science?» (magazine *Croyez-le ou non?*), le voyant André Maurice dit utiliser une technique de divination à l'aide de 64 nombres. À la question «Qu'est-ce qui vous distingue des autres voyants?», il répond: «J'ai vécu une fusion avec une autre dimension». Si c'est lui qui le dit...

– **Le parfait mélange**. Toute l'habileté du journaliste consiste à avancer des données scientifiques en faisant «comme si» elles prouvaient ses dires. Dans le *Journal Vert*, un article, «Le sida n'est pas une M.T.S. (maladie transmissible sexuellement)» commence ainsi: «Presque tout le monde croit que le sida peut être transmis sexuellement. Or, des études indiquent qu'il faut entre 500 et 1000 contacts sexuels sans protection pour transmettre le virus.» Quelles études? Une seule est citée, menée dix ans plus tôt – une éternité – par un médecin newyorkais. Cet article conseille de changer son alimentation ou sa stabilité émotionnelle afin d'éviter le sida (!).

Autre exemple, même publication, «On mange vert»: on y avance que, selon des statistiques – qui ne nous sont pas communiquées – les végétariens vivent plus longtemps que les carnivores. L'auteur affirme que la raison tient à l'énergie solaire densifiée (?) contenue dans les végétaux. Comprenne qui peut.

Comme l'a rappelé Pierre Gravel, éditorialiste de *La Presse*: «L'information demeure la meilleure arme contre les charlatans». Pour ne pas manger idiot!

DEUXIÈME PARTIE:

JE L'AI VU DE MES YEUX VU!

Dans l'immensité du cosmos, il doit y avoir d'autres civilisations, beaucoup plus âgées et beaucoup plus avancées que la nôtre. Alors ne devrions-nous pas avoir été visités? Ne devrait-il pas y avoir à tout moment des vaisseaux étranges dans les cieux de la Terre?

Il n'y a là rien d'impossible, et nul ne serait plus heureux que moi si nous étions visités. Mais est-ce que ça s'est vraiment produit? Ce qui compte, ce n'est pas ce qui semble plausible, pas plus que ce en quoi nous aimerions croire, ou ce que des témoins proclament, mais seulement ce qui est soutenu par des preuves solides, examinées avec rigueur et scepticisme.

Des affirmations extraordinaires nécessitent des preuves extraordinaires.

Carl Sagan, *Cosmos*

Cinquante ans d'ovni...
et pas un clou

Claude Lafleur[*]

> À 30 années-lumière d'ici, s'il y avait des astronomes
> extraterrestres dotés de radio-télescopes, ils pourraient
> être en train de capter les premiers épisodes des *Joyeux
> naufragés*... Ce qui pourrait expliquer pourquoi nous
> n'avons pas encore été visités.
>
> Jaymie Matthews, astronome, cité par *Maclean's*, décembre 1998

Depuis des millénaires, l'être humain se demande s'il est seul
dans l'Univers et y cherche sa place. Depuis que nous vivons à l'ère
spatiale, la possibilité que d'autres civilisations puissent nous visiter
s'impose naturellement. Dans l'imaginaire collectif, les dieux de
l'Olympe et les anges ont été surclassés par les extraterrestres.

Et pourtant, beaucoup de confusion subsiste. Prenons par
exemple le mot «ovni», pour «objet volant non identifié». Au sens
strict du terme, n'importe qui a un jour ou l'autre vu un ovni, puisqu'il est très facile d'apercevoir un «objet volant» dont on ignore la

---

[*]   Claude Lafleur est journaliste scientifique et l'auteur d'une douzaine d'ouvrages. Il se
     passionne pour la conquête spatiale depuis bientôt 30 ans et suit avec intérêt les domai-
     nes de l'ufologie et de l'astrologie.

nature. Cependant, prétendre que l'ovni provient d'une civilisation extraterrestre, c'est aller un peu vite en besogne.

En effet, parler d'ovni, ce n'est pas discuter des possibilités de vie dans l'Univers. La question de la vie fait l'objet d'un tout autre débat... qui n'a rien à voir avec celui des ovnis! Ce que les ufologues – du mot anglais UFO, *Unidentified Flying Objects* – oublient souvent de dire, lorsqu'ils sont confrontés à de vilains sceptiques, c'est qu'à peu près tout le monde s'entend sur la possibilité que nous ne soyons pas seuls dans l'Univers! Là où il y a divergence d'opinion, c'est sur la possibilité que nous soyons l'objet de visites...

Où est la preuve tangible?

Depuis les années 1950, des centaines d'ufologues cherchent avec acharnement une preuve. Or, si la mythologie ufologique regorge de récits de débris, de cadavres, d'implants, ces artefacts ne sont jamais disponibles.

L'absence de preuves est le nœud du problème, lorsqu'on réalise qu'en paléontologie, on trouve abondance de traces de créatures disparues depuis des centaines de millions d'années. En archéologie, on déterre des restes infimes d'habitats humains préhistoriques. Se pourrait-il que nous n'ayons rien trouvé parce qu'il n'y a rien à trouver?

Les ufologues citent l'abondance de témoignages, comme si c'était là une preuve. Qui plus est, comme il est impossible de tous les expliquer, cela permet de souligner à grands traits le mot «inexpliqué»...

Imaginez une centaine de personnes assistant à un spectacle de magie. Ces gens sont témoins d'un magicien qui «coupe» en deux une personne, puis la «recolle». À la sortie, vous les interrogez. Tous témoignent avoir vu un phénomène qu'ils ne peuvent expliquer. Mais est-il pour autant inexplicable?

Ah! ces témoins... Combien de fois ont-ils donné la dimension, l'altitude ou la vitesse d'un ovni? Or, la prochaine fois que vous verrez un avion traverser le ciel, demandez-vous combien il mesure et à quelle distance il se trouve!

Le fait est que *personne* ne peut évaluer une telle chose à l'œil: on peut le savoir en consultant un ouvrage ou en ayant une formation spécialisée. Pourtant, les ufologues acceptent sans hésiter les récits où un témoin, peut-être de bonne foi, quantifie de façon précise son observation.

Qui dit vrai?

Au début des années 1990, j'ai été confronté au problème suivant: à quels cas m'intéresser? J'ai eu l'idée d'aller consulter les principaux ufologues québécois. J'ai alors découvert que chacun a son «histoire favorite»... et chacun démolit «l'histoire favorite» des autres!

De fait, il n'existe aucun cas d'ovni qui fasse consensus au sein de la communauté ufologique. Il y a des cas qui sortent du peloton, mais aucun, parmi les milliers de récits récoltés depuis 1947, ne constitue une preuve sérieuse... de l'aveu même des ufologues!

Bref, contrairement aux autres domaines de la recherche, qui ont fait des progrès fulgurants depuis 50 ans, on n'est pas plus avancé en matière d'ovni. Pour espérer avancer, il faut en premier lieu mettre de côté ses croyances personnelles, admettre qu'on ne connaît pas tout des phénomènes naturels et humains... et éviter de crier à l'extra-terrestre.

Première parution: *Le Québec Sceptique*, printemps 1997.

2

Le cas le mieux documenté du Québec

Pascal Forget

Chaque ufologue a son cas préféré, vient de nous dire Claude Lafleur. Au Québec, l'un des cas préférés est celui de Sainte-Marie de Monnoir. Les preuves sont accablantes, proclamaient les ufologues, et il faut bien être borné – comme un sceptique – pour refuser d'examiner ce cas «hors du commun».

Piqués au vif, nous avons décidé d'aller voir...

À Sainte-Marie-de-Monnoir, le 20 novembre 1989, vers 5 h 45 du matin, M. Noiseux aperçoit quatre lueurs dans le ciel, qu'il prend d'abord pour les phares d'un 4 X 4. Il réalise par la suite qu'elles volent au-dessus de la maison de son voisin, M. Galarneau. Ce dernier et sa femme affirment s'être réveillés au même moment et avoir remarqué que la pièce était envahie d'une lumière bleutée. Mais ils ne se sont pas levés.

M. Noiseux note aussi des baisses de tension électrique et un «bruit de moteur électrique qui force», tandis que la lueur semble se déplacer le long d'un fil d'Hydro-Québec.

Le rapport de la GRC indique que le témoin «n'a pu voir clairement l'objet à cause des conditions météorologiques. Il y avait une brume légère et il tombait une légère neige fondante. Le temps qu'il faisait, ajouté à la noirceur, n'a certainement pas aidé à identifier clairement l'objet.» L'ufologue François Bourbeau, dans son livre *Les médias cachent la réalité ovni au public*, ajoute qu'un automobiliste, Michel Gilbert, aurait signalé «une sphère bleuâtre, étrange, qui semblait toucher le sol» sur le bas-côté de l'autoroute des Cantons de l'Est.

En tout, une soixantaine de personnes auraient vu un étrange phénomène lumineux cette nuit-là.

Mais ce qui fait la particularité de ce cas, ce fut la découverte d'une trace au sol. Deux jours plus tard, un cercle d'herbe verte d'environ 20 mètres de diamètre est en effet découvert derrière la maison de M. Galarneau, contrastant avec l'herbe jaunie des alentours.

Notre visite

Jean-René Dufort et moi, nous nous sommes rendus à Sainte-Marie-de-Monnoir le 26 octobre 1996, soit presque sept ans jour pour jour après l'événement. Quelques mois plus tôt, un éditorial du magazine *Enigma* avait attiré notre attention: l'ufologue Christian Page y écrivait que les Sceptiques évitaient de se pencher sur ce cas, préférant des cibles comme l'astrologue Jojo Savard, plus faciles et moins compromettantes.

Les deux témoins principaux habitaient encore rue des Cèdres. La majorité des maisons était de construction récente. Avec l'aide d'un voisin, nous sommes arrivés à l'endroit où la trace est apparue. Malgré le beau temps, le sol était spongieux et détrempé, une véritable tourbière. Nous avons pris quelques photos, même si la «trace» n'était plus du tout visible.

Nous avons eu l'occasion de discuter avec des voisins des témoins, qui n'étaient pas du tout troublés d'habiter près du site présumé d'un événement extraordinaire. Si peu troublés que, quand nous leur avons demandé où était la trace, différentes personnes nous ont montré différents endroits!

«Le cas le mieux documenté au Québec»

Le dossier que nous avons eu en notre possession sur «le cas le mieux documenté au Québec» est bien pauvrement... documenté. Il ne contient que le rapport de l'analyse d'azote et de chlorophylle, effectuée à la demande des ufologues Page et Bourbeau (voir texte suivant), un dessin d'un poteau de l'Hydro que l'ovni aurait survolé, le rapport de la GRC et une carte de la région.

Il existe aussi des photos du cercle, dont nous n'avons toutefois pas pu avoir de copies, M. Page ayant refusé de nous en faire parvenir. Des documents vidéos semblent avoir été tournés lors des diverses étapes de l'enquête des ufologues, sans qu'il ne nous soit offert de les consulter.

Le rapport de la GRC «officialise» la découverte de la trace. On peut y lire «que les détails (sur le phénomène lumineux) se ressemblent, avec de petites variations concernant la durée et les mouvements de la lumière». Le nombre de témoins contactés n'est pas mentionné. Il n'y a rien dans le rapport qui laisse supposer une cause paranormale – ou même simplement *anormale*.

Christian Page aime vraiment ce cas et le défend avec la plus vive énergie. Il a plutôt mal réagi chaque fois que nous lui avons mentionné l'hypothèse d'un épandage d'engrais ou d'un canular. En réponse à une critique de Claude Lafleur, il a écrit une lettre (publiée dans le *Québec sceptique*) dans laquelle il affirme favoriser «la manifestation de forces naturelles bien terrestres encore mal définies». Il rejette aussi la possibilité d'une mystification d'ordre mécanique, et ce, «à l'instar de M. Debroux», le scientifique qui a réalisé les analyses – ce que réfute ce dernier, comme nous le verrons plus loin.

Une présupposition domine l'enquête de M. Page: la trace et le phénomène lumineux seraient associés. Sauf que rien, ni dans notre contre-enquête ni dans la sienne, ne permet d'affirmer que la trace n'était pas là *avant*.

La trace a été découverte deux jours après le phénomène lumineux, laissant du temps pour que bien des choses se passent. M. Page n'a lui-même vu le cercle que cinq jours plus tard.

Il néglige aussi le fait que des agents de la Sûreté du Québec n'ont rien vu de spécial sur place. Ils seraient pourtant passés près du site, par curiosité, **entre le moment où le phénomène lumineux a été vu et celui où la trace a été découverte.** Il paraît improbable que deux policiers (même s'ils ne sont pas sortis de leur véhicule) aient pu ne pas remarquer un cercle de 20 mètres d'herbe verte et dégagée de neige dans un champ en friche. Un policier du poste de Marieville, situé à moins de 2 km, m'a même dit qu'il y a fréquemment des «ronds» qui apparaissent dans les champs: un sol irrégulier et une mauvaise irrigation suffisent!

Quant à l'hypothèse d'un épandage d'engrais... L'ufologue François Bourbeau a interrogé le propriétaire du terrain, Pierre D'Auteuil, qui lui a affirmé n'avoir jamais utilisé d'engrais. Et ce témoignage fut suffisant pour négliger de faire une analyse du sol!

Conclusion

De notre contre-enquête, rien ne permet de conclure qu'il existe un lien entre la découverte du cercle dans le champ et les témoignages sur le phénomène lumineux. Les récits des témoins sont loin d'être aussi exubérants que le prétendent les promoteurs du cas. La possibilité d'un épandage d'engrais a été rejetée par les ufologues, sur la seule base de témoignages.

Reste le phénomène lumineux. Il est bien difficile d'en déterminer, sept ans plus tard, la cause. Mais si on le dissocie de la trace au sol, il y a davantage d'hypothèses possibles (voir texte suivant).

En bref, la visite du lieu et la relecture des documents ne nous permettent pas de conclure à un cas «paranormal».

À moins que quelqu'un n'avoue un canular, ou qu'un cercle semblable se reproduise au même endroit (et puisse être étudié), le cas gardera l'aura de mystère qu'apprécient tant les ufologues.

3

Des hypothèses sur Sainte-Marie de Monnoir

Pascal Forget

Un épandage d'engrais? Il semble incongru que quelqu'un puisse épandre sans raison de l'engrais sur un champ vacant... Mais a-t-on besoin d'engrais? Les cendres des herbes (ou de feuilles mortes) brûlées sur place ou un sac de tondeuse vidé à cet endroit auraient pu faire l'affaire. Dans un sol spongieux et humide, il suffit d'une très légère dépression du sol pour créer une étendue d'eau qui épandra cet «engrais» en cercle. Les deux jours précédents avaient d'ailleurs été pluvieux... L'herbe a cessé d'être plus verte à cet endroit deux ou trois ans après l'événement, ce qui me semble le temps nécessaire pour que l'engrais ne soit plus en concentration suffisante pour faire une différence.

Une mauvaise interprétation? Comme l'écrit Bruno Lamolet dans une lettre adressée au *Québec Sceptique* après la publication de notre enquête, «les gens ne mémorisent habituellement pas la verdeur de l'herbe chaque jour». Or, ce qui a attiré l'attention des gens ici, ce n'est pas le changement de couleur de l'herbe, mais plutôt le contraste entre le vert (sous la forme d'un cercle) et le jaune. «Le processus menant à l'apparition du rond aurait très bien pu être initié avant les apparitions lumineuses», mais le contraste n'aurait été remarqué qu'à partir du 22.

Une résurgence artésienne a pu faciliter la pousse de la végétation et empêcher le sol de geler. Il suffit de peu d'eau au sol pour faire fondre la neige. Cette source d'eau souterraine expliquerait que la végétation soit restée plus riche à cet endroit pour les quelques années suivantes, jusqu'à ce qu'elle ne se tarisse ou change de cours.

Un feu de Saint-Elme? La friction entre une masse d'air chaud et une masse d'air froid, écrit Lamolet, lors d'une tempête par exemple, crée de l'électricité statique. Quand cet air entre en contact avec une surface conductrice, la décharge devient visible sous forme d'un halo électrique bleu lumineux, appelé feu de Saint-Elme. Ce phénomène électrique est une source reconnue d'observations d'ovnis depuis plus de 25 ans.

Un canular? Un plaisantin a pu vouloir faire une blague pour surprendre les témoins du phénomène lumineux. Comme les terrains des environs venaient tout juste d'être zonés «résidentiels», les propriétaires ont sûrement utilisé (ou en tout cas, eu accès à) des rouleaux pour aplanir leur terrain. Les plaisantins britanniques se sont servis de ce type de rouleau pour dessiner leurs *crop circles*. On écrase l'herbe en cercle, on épand de l'engrais un peu avant... et on attend impatiemment la «découverte» de ce cercle mystérieux.

4

L'analyse des analyses

Jean-René Dufort

Au cours de l'enquête sur le cas de Sainte-Marie de Monnoir, deux certificats d'analyses ont été produits, à la demande de l'ufologue Christian Page, par les départements de phytologie et des sols de l'Université Laval. Le premier est daté du 19 février 1990 et le second (en deux parties) des 10 et 15 août 1990.

M. Page s'appuie beaucoup sur ces analyses pour appuyer sa thèse d'une manifestation insolite: la première analyse révèle que l'herbe contient 10 fois plus de chlorophylle à l'intérieur du cercle qu'à l'extérieur (Rappelons qu'il s'agit d'un cercle d'herbe verte dans un champ d'herbe jaunie.) La deuxième révèle que le taux d'azote est quatre fois plus élevé à l'intérieur qu'à l'extérieur de ce même cercle.

Voici le résultat des analyses de chlorophylle et d'azote totale. «IN» représente les échantillons prélevés dans le cercle et «OUT», ceux prélevés à l'extérieur.

Certificat 1: 19 février 1990

Échantillons	Chlorophylle totale mg/g	Azote
«IN»	0,4588	
«OUT»		0,0422
Rapport IN/OUT	10,9	

Certificat 2: 10 et 15 août 1990

Échantillons total	Chlorophylle totale	Azote
	mg/g	(% N)
Sol «IN, 14H10»		0,216
Sol «IN, 2 pouces surface séparés»		0,235
Sol «OUT, 5 échantillons»		0,266
Moyenne (s)		0,239
(0,025)		
Cœfficient de variation (c.v.) (%)		10,5
Foin «IN»	2,015	2,513
Foin «OUT»	0,83	1,519
Rapport IN/OUT	2,5	1,6

Il me paraît important de noter qu'il s'est écoulé plus de trois mois entre le phénomène observé et les premiers prélèvements. Ceux-ci ont été effectués par les ufologues, François Bourbeau et Christian Page. Le choix des paramètres à analyser a aussi été fait par ces derniers.

Discussion

La chlorophylle, c'est la molécule qui donne la coloration verte aux plantes. L'intensité du vert est donc fonction de la teneur en chlorophylle. Le taux de chlorophylle peut varier fortement, au fil des saisons, d'une espèce végétale à l'autre, et même d'une partie de la plante à une autre.

Certificat un: chlorophylle. Il n'est donc pas impressionnant que le taux de chlorophylle dans un cercle d'herbe verte soit supérieur à celui qu'on trouve dans l'herbe jaune... «Il n'y a rien de paranormal dans ces résultats», explique Michel Caillier, de l'Université Laval, qui a supervisé l'analyse de ces échantillons. Tout au plus, vous venez de démontrer que l'herbe verte est verte et que l'herbe jaune n'est pas verte. Car, c'est ce que nous avons reçu: un échantillon d'herbe verte et un échantillon d'herbe jaune.»

Ceci contraste avec l'affirmation de Christian Page voulant que les deux échantillons soient «aussi jaunes pour l'intérieur du cercle que pour l'extérieur du cercle». Ce rapport IN/OUT est souvent présenté comme l'évidence d'une manifestation paranormale à Sainte-Marie de Monnoir. Dans les faits, il n'en est rien.

Les teneurs de chaque échantillon sont-elles anormales par rapport à ce qu'on retrouve normalement dans la nature? Jacques Debroux, du département de phytologie de l'Université Laval, est catégorique: «Pris individuellement, ces teneurs en chlorophylle sont normales pour des plantes de ce type. Ces plantes ne montrent pas des taux de chlorophylle sortant de l'ordinaire.»

«À plusieurs reprises, nous avons demandé des échantillons de sols pour fin de comparaison et, sept ans plus tard, nous les attendons toujours... Ce n'était pas sérieux», mentionne Michel Caillier. Les ufologues invoqueront peut-être un problème d'argent. Mais nous parlons ici de 40 $, ce qui est bien peu pour des enquêteurs possédant un minimum de rigueur... ou d'organisation.

Certificat deux: azote. Le certificat 2 nous présente, lui, des résultats d'analyses d'azote dans les sols «IN» et «OUT». Statistiquement, les trois résultats sont considérés comme identiques (moyenne de 0,24 et c.v. de 10,5%). En résumé, ce que disent ces certificats d'analyses est simple: sur le site, il y avait de l'herbe verte et de l'herbe moins verte. Aucune des données présentes dans ces certificats ne va dans le sens d'une «augmentation aberrante de la concentration de chlorophylle dans l'herbe».

Jacques Debroux et Michel Caillier ont d'ailleurs des choses intéressantes à raconter au sujet d'un vidéo tourné à ce sujet et présenté comme preuve par les ufologues: «Pour ma part, j'ai refusé d'être interviewé par peur d'être mal cité, déclare Michel Caillier. C'est ce qui s'est passé avec mon collègue Jacques Debroux. Le vidéo fut monté de façon à lui faire conclure à une cause extraterrestre. Or, c'est faux. Il est impossible de prétendre cela avec les données que nous avons!» Jacques Debroux est de cet avis: «Ces gens-là sont partis du postulat que ces plantes se sont gorgées de chlorophylle en 24 heures. Mais à mes yeux, rien ne permet de conclure à une telle théorie.»

Conclusion

C'est bien beau, avoir un certificat d'analyse, mais encore faut-il savoir l'interpréter. Surtout lorsqu'on désire s'en servir comme «preuve». Vous comprendrez donc mon irritation à entendre nos amis les ufologues brandir avec véhémence les certificats d'analyses de Sainte-Marie de Monnoir. Surtout lorsque M. Page déclare que «l'information concernant les analyses, je n'en ai rien à faire, je ne la comprend pas!»

Première parution: *Le Québec Sceptique*, hiver 1997.

5

Roswell: comment une histoire enfle, et enfle, et enfle...

Claude Lafleur

«L'Affaire Roswell» illustre assez bien l'état de la controverse sur les ovnis: plus le temps passe, plus le cas se complique, grossit... alors qu'il est pourtant parti de rien, ou presque.

La chronologie des faits diffère suivant les versions, mais le point de départ est le même: le rancher Mac Brazel. Interviewé par le *Roswell Daily Record*, le 8 juillet 1947, il y rapporte que le 14 juin précédent, lui et Vernon, son garçon de 8 ans, «se trouvaient à environ 10 ou 12 kilomètres de la maison de ferme du ranch de J.B. Foster (que gère Brazel), lorsqu'ils sont tombés sur une étendue de débris faits de bandes de caoutchouc, de papier métallique, de papier cartonné et de bâtons.

À ce moment-là, Brazel est pressé de terminer sa ronde et il ne prête guère d'intérêt aux débris. Mais il en garde tout de même le souvenir et, le 4 juillet, lui, son épouse, Vernon et sa fille Betty, 14 ans, retournent sur les lieux où ils ramassent bon nombre de pièces. Le jour suivant, il entend parler des soucoupes volantes (NDLR: observées par Kenneth Arnold deux semaines plus tôt) et il se demande si ce qu'il a trouvé ne pourrait pas être les débris de l'une d'elles.

Lundi (7 juillet), Brazel se rend à Roswell pour vendre de la laine. Il en profite pour rencontrer le shérif George Wilcox et lui « murmure sur un ton quasi confidentiel » qu'il a peut-être trouvé un disque volant. Wilcox contacte alors la base militaire aérienne de Roswell.

Le major Jesse A. Marcel et un homme en tenue sobre accompagnent Brazel jusqu'au ranch; là, ils ramassent les débris du « disque », puis retournent à la maison de ferme afin de tenter de reconstituer l'objet... Finalement, le major Marcel emporte le tout à Roswell... »

Personne ne conteste le fait que le major Jesse Marcel ait visité le ranch de Mac Brazel pour récupérer les débris. On ne conteste pas non plus que le 8 juillet, Marcel ait expédié ces débris au Q.G. de l'armée de l'air à Fort Worth (Texas), et qu'ils y ont été examinés par le commandant de la base, Roger Ramsey. Nous connaissons sept photos prises dans le bureau de Ramsey, ce 8 juillet. Et rien ne permet de mettre en doute l'explication de Ramsey: ces débris étaient les restes d'une cible-radar transportée dans les airs par un ballon-sonde.

À cette époque, de telles cibles étaient construites à partir de bâtons de balsa et de carton sur lesquels on fixait des feuilles d'aluminium pour réfléchir les ondes radar. Ces débris correspondent également à ceux décrits par Mac Brazel.

L'histoire en restera donc là. La chose peut paraître incroyable aujourd'hui, mais les ufologues eux-mêmes se désintéresseront complètement de l'histoire de Roswell, la jugeant peu crédible. Et il en sera ainsi pendant 30 ans!

Comme un ballon qui gonfle...

En 1980, William Moore et Charles Berlitz publient *The Roswell Incident*. Ils y prétendent qu'une soucoupe volante s'est écrasée près du ranch de Mac Brazel, mais nulle part il n'est fait mention d'extraterrestres.

En 1991, Kevin Randle et Don Schmitt, dans *Ufo Crash at Roswell*, affirment qu'une soucoupe volante et quatre extraterrestres ont été découverts. En 1992, Stanton Friedman et Don Berliner, dans *Crash at Corona*, parlent de l'écrasement de *deux* soucoupes, l'une près du ranch de Mac Brazel, l'autre 250 km plus loin. Sept cadavres d'extraterrestres auraient été récupérés... et un survivant!

En 1994, Randle et Schmitt récidivent avec *The Truth About the UFO Crash at Roswell...* qui contredit tous les scénarios précédents, y compris le leur! Les dates ne concordent pas, la présence de nouveaux témoins entre en contradiction avec ceux mentionnés plus tôt et surtout, en additionnant tous les habitants de la région qui prétendent avoir vu quelque chose, il y aurait eu, le samedi 5 juillet, des dizaines de civils et de militaires au courant de l'écrasement ou occupés à récupérer débris et cadavres. Pourtant, lorsque le 7 juillet (la seule date sur laquelle tout le monde s'entend) Mac Brazel se présente aux bureaux du shérif Wilcox pour parler des curieux débris, celui-ci appelle le major Marcel... qui se tape trois heures de route pour venir les récupérer lui-même. Sans compter qu'avec toutes ces personnes soi-disant mises au courant, avant le 8 juillet, ni le journal local ni la radio n'en avaient encore touché mot!

Pourtant, une explication beaucoup plus vraisemblable apparaît justement dans le *Roswell Daily Record* du 9 juillet, lorsqu'on lit la description: «*bandes de caoutchouc, de papier métallique, de papier cartonné et de bâtons... En tout, Brazel estime que l'ensemble pesait quelque chose comme deux kilos. On n'a découvert sur les lieux ni traces d'un métal quelconque ni aucun mécanisme de propulsion... Une bonne quantité de ruban gommé et un peu de ruban sur lequel étaient imprimés des motifs de fleurs ont été utilisés pour la fabrication.*»

Drôle de technologie pour un navire interstellaire!

Et si les débris provenaient vraiment d'un ballon-sonde? Certes, à l'époque, les militaires avaient légèrement trafiqué la vérité en parlant d'un ballon météo. Il s'agissait en réalité, selon ce qu'on a pu apprendre en 1995, des débris d'un réflecteur-radar accroché à un ballon météo – un système ultra-secret qui servait à détecter les essais nucléaires soviétiques.

Mais dans tous les cas, il faut vraiment vouloir croire *à tout prix* aux soucoupes volantes et à la complicité des vilains gouvernements pour associer quelques bouts de bâton, de ruban et de caoutchouc à une technologie extraterrestre!

Et pourtant, aujourd'hui encore, il se trouve des millions de gens pour y croire. En juillet 1997, le 50e anniversaire de «l'événement» a attiré 50 000 personnes à Roswell... soit plus de monde que la population de cette ville!

Cet article s'inspire de textes rédigés entre 1989 et 1994 par les Américains Philip Klass et Robert Sheaffer, et le Français Marc Hallet.

6

À la recherche du monstre du lac Memphrémagog

Daniel Coulombe et Éliane Santschi

«Chassez le monstre et il revient au galop!» Voilà le leitmotiv de la Société internationale de dracontologie du lac Memphrémagog (SIDLM).

À l'image de plusieurs plans d'eau, ce lac, situé en Estrie, possède lui aussi sa grosse bestiole, baptisée Memphré. Jacques Boisvert, qui s'attribue le titre de «crypto-dracontologue» (la dracontologie étant, bien entendu, la science qui étudie les dragons) est le fondateur de la dite société qui a vu le jour en 1986.

Dans son bulletin *Le Serpent de mer du lac Memphrémagog* (juin 1994), M. Boisvert se gonfle de fierté d'avoir appelé son monstre «Memphré» (Il y a même un copyright sur ce nom!), première créature aquatique avec un nom français, nous dit-il. Notons, tout de même, que «Memphré» est en fait un mot amérindien (langue abénaquise) signifiant «vaste» et qu'il constitue la première partie de «Memphrémagog» – «vaste étendue d'eau».

Aux archives de la SIDLM, il existe quelque 180 documents (articles de journaux, bandes sonores, documents audiovisuels, déclarations signées) relatant les apparitions de Memphré. Le plus ancien témoignage date de 1816 et, au début des années 1990, le rythme des apparitions se situait entre sept et huit par année.

Là où le sujet se corse, c'est sur l'aspect physique. Les récits vont d'un billot de bois qui bouge jusqu'au serpent de mer, en passant par une tête de cheval. On remarque également une certaine imprécision sur les dimensions. Certains l'évaluent à deux mètres, d'autres à plus de dix mètres!

Les recherches de la SIDLM se sont concentrées sur trois types de créatures: le cheval marin, le type «alligator» et le serpent de mer. La méthode d'investigation est douteuse puisqu'on présente au témoin trois dessins de ces créatures, à partir desquels on lui demande de choisir. Résultat: le serpent de mer est la créature la plus souvent observée et serait, selon les cryptozoologues, un *Megalotaria longicollis*: un genre de loutre géante à long cou, pouvant se déplacer à des vitesses allant de 25 à 55 km/h!

Trappe à touristes

À Magog, comme dans bien d'autres régions «à monstres» – le Loch Ness en tête – on s'est vite rendu compte que le sujet a un potentiel commercial. Un garage de Magog, par exemple, porte le nom de Memphré et affiche le logo du monstre. À l'occasion des 1er avril 1993 et 1995, Memphré a fait la une du quotidien *La Tribune* de Sherbrooke. Divers reportages télévisés ont été diffusés. Et en 1995, Memphré a obtenu une mission... didactique: le monstre est utilisé dans une école primaire pour raconter l'histoire du lac et de la région.

Toute cette visibilité ne fait qu'accentuer le marketing derrière Memphré. Jacques Boisvert est le seul membre de la Société de dracontologie. Il écrit une chronique dans l'hebdomadaire *Le Reflet du lac*. Au bas de ses textes: une publicité donnant les coordonnées du bureau d'assurance O. Boisvert et Fils Inc. – la même adresse que celle du centre de dracontologie.

Bref, cette situation ressemble, sur une échelle réduite, à celle du Loch Ness et de ses milliers de touristes. Cela n'a pas échappé à notre homme puisque le bulletin de la SIDLM dénombre les similitudes entre le Loch Ness et le lac Memphrémagog (longueur, bassins de drainage, deux grandes baies, écrasements d'avion, proximité de monastères, etc.).

Restons dans les comparaisons. Il y a quelques années, le responsable de la supercherie du Loch Ness est sorti de l'ombre. Peut-être un individu souffrant d'un pareil sentiment de culpabilité se fera-t-il entendre bientôt sur les rives du lac Memphrémagog?

Le fondateur de la cryptozoologie est le docteur Bernard Heuvlemans, un Belge habitant en France. Il décrit dans son livre *Le Grand-Serpent-de-mer*: «Animal marin d'assez grande taille (...) sa tête, relativement petite, est de forme ronde avec un museau plus ou moins effilé (...) rappelle tantôt le phoque ou le chien, tantôt le cheval, le chameau, la girafe.» Pour Heuvlemans, la contradiction entre les récits provient d'un phénomène biologique: l'allongement de la tête, avec l'âge, chez les mammifères. Le paradoxe, c'est qu'en l'espace d'un mois, certains ont vu Memphré avec une tête de crocodile, d'autre de vipère, d'autres de cheval...

7

Petit mensonge deviendra grand

Stéphane Duchesne

La vérité dépasse peut-être la fiction en cela qu'elle est infiniment plus décevante.

Hubert Aquin, *Trou de mémoire*

Voici trois cas célèbres qui démontrent qu'une bonne dose de scepticisme reste encore le seul vaccin connu contre la naïveté et la crédulité. Encore que ce ne soit pas aussi évident: dans les trois cas, les auteurs de la supercherie sont passés aux aveux... ce qui n'a pas arrêté la machine à croyances.

1) Un vrai conte de fées

Nous sommes en 1917, à Cottingley, village du nord de l'Angleterre. Cet été-là, Frances Griffiths, 10 ans, et sa cousine, Elsie Wright, 16 ans, empruntent l'appareil photo du père d'Elsie afin, dit celle-ci, de photographier Frances dans les bois. À leur retour, Arthur Wright développe la plaque photographique et y voit apparaître, en plus de l'image de Frances, de curieuses formes blanches. Elsie lui affirme que ce sont des fées. Un mois plus tard, c'est au tour de Frances de photographier Elsie en compagnie d'un «lutin». Cette fois, Wright est persuadé que les filles se paient sa tête et leur confisque l'appareil. Pendant quelque temps, les photos seront montrées à la famille et aux amis, puis plus personne ne s'y intéressera.

En 1920, la mère d'Elsie, Polly Wright, assiste à une conférence de la Société de Théosophie de Bradford portant sur le folklore,
et plus particulièrement les fées. Mme Wright mentionne les photos
au conférencier qui demande à les voir. Les plaques originales seront
par la suite envoyées à Edward L. Gardner, un éminent théosophiste
londonien, qui les confiera à un photographe de sa connaissance,
H. Snelling, pour analyse. Snelling évaluera favorablement les photographies, mais il ne sera révélé que 63 années plus tard qu'il va, à
ce moment, retoucher la première plaque (celle où on voit Frances
avec des fées) pour «corriger» sa grave surexposition. Pourtant, c'est
cette dernière photo retouchée, beaucoup plus claire que l'originale,
et où l'on voit de petites demoiselles ailées (plutôt que de vagues formes blanches) faisant la ronde devant une Frances étonnamment im-
passible, qui aura obtenu la célébrité.

En mai suivant, Gardner présente les photos lors d'une conférence à laquelle participe Sir Arthur Conan Doyle, l'auteur de
Sherlock Holmes. À cette époque, Doyle est un élément actif et in-
fluent du mouvement spiritualiste, très en vogue au Royaume-Uni. Il
publiera deux articles favorables aux photographies, puis un livre
(*The Coming of the Fairies*) en 1922. On peut supposer que la «caution» d'un tel personnage n'est pas étrangère à la longévité de la
légende.

Journaux, magazines et auteurs ésotériques s'assureront de ra-
viver périodiquement la controverse qui – c'est une constante dans ce
genre d'histoire – vend bien. Encore aujourd'hui, une auberge de
Cottingley exploite le phénomène pour attirer la clientèle.

L'histoire connaît son dénouement en 1983, alors que les deux
cousines, devenues grand-mères, signent des confessions et avouent
qu'Elsie a dessiné les fées en s'inspirant d'un de ses livres d'enfant.
Lorsque la blague a atteint les proportions que l'on connaît, elles ont
décidé d'un commun accord d'attendre le décès des principaux acteurs (Doyle et Gardner) avant de révéler la supercherie. Il est amu-
sant de noter que jusqu'à sa mort, Frances a maintenu que, bien que
les photos aient été truquées, elle avait réellement vu des fées lors de
ce bel après-midi d'été 1917...

2) J'ai créé un monstre!

C'est en 1934, en Écosse, qu'est dévoilée la photo qui va deve-nir la pièce à conviction numéro 1 de ce que le *Sunday Telegraph* appellera en 1994 «l'un des plus grands canulars du XXᵉ siècle». On y voit Nessie, le célèbre monstre du Loch Ness, faisant ses ablutions dans une pose qui reste à ce jour la plus étudiée des images de l'insaisissable créature.

Prétendument réalisée par le lieutenant-colonel Robert Kenneth Wilson, gynécologue londonien, la photo présente Nessie sous les traits d'un plésiosaure, sorte de reptile aquatique au long cou mince, éteint depuis 65 millions d'années. Wilson ayant toujours refusé de voir son nom associé à la photo, le cliché sera surnommé «la photo du chirurgien».

Pour comprendre l'enthousiasme qu'a suscité cette photo, il faut savoir que depuis les premières «observations» du monstre au VIᵉ siècle, jamais n'avait-on eu une preuve aussi «indiscutable». C'était l'élément qui manquait pour transformer la paisible région en centre touristique de premier ordre, générant, au début des années 90, des revenus annuels de près de 37 millions de dollars.

Pendant 60 ans, de nombreux ouvrages seront consacrés à «la photo du chirurgien». Mais, dans une révélation choc que l'on n'attendait plus, un dénommé Christian Spurling, en 1991, confesse avoir participé à la «fabrication» de l'image!

C'est le beau-père de Spurling, Marmaduke Wetherell, qui a orchestré le canular. Selon Spurling, Wetherell lui aurait demandé, en janvier 1933: «Christian, peux-tu me fabriquer un monstre?» À ce moment, Wetherell travaillait pour le *London Daily Mail* qui l'avait engagé pour... trouver le monstre du Loch Ness! Devinez quel journal a obtenu (moyennant une certaine somme, bien sûr) l'exclusivité mondiale pour la photo? Spurling révélera également que c'est le fils de Marmaduke Wetherell, Ian, qui a pris la photo, qu'on a ensuite confiée au Dr Wilson pour plus de «crédibilité».

Le fait que Wetherell remplisse si facilement son contrat avec le *Daily Mail* ne semble avoir inquiété personne. Pire encore, Wetherell était à cette époque bien connu pour avoir fabriqué de fausses empreintes du monstre qu'il avait ensuite «découvertes» sur la plage du Loch. Tout était là pour jeter un sérieux doute sur l'affaire, mais il semble que ce ne fut pas suffisant.

3) On tourne en rond...

En 1980, débute une vague d'apparitions de cercles étranges dans les champs anglais (*crop circles*). À l'origine, ils sont caractérisés par un aplatissement des plantes sur un diamètre d'environ dix mètres, sans trace extérieure au cercle. Pendant les années qui suivent, le nombre de cercles augmente frénétiquement. Les dessins deviennent de plus en plus complexes, du cercle simple aux cercles multiples, puis aux pictogrammes avec cercles, lignes, etc. Ces formations apparaissaient la nuit, à l'abri des regards indiscrets.

Les «experts» étant conscients qu'un titre fait toujours plus sérieux, on crée une nouvelle science: la céréologie. Bientôt, une foule de céréologues autoproclamés se met à arpenter les champs de Sa Majesté.

Dans la plupart des cas, les céréologues se mettent d'accord sur une chose: ces formations sont trop complexes pour être œuvre humaine.

Vous devinez la suite? En septembre 1991, deux sexagénaires anglais, Doug Bower et David Chorley, affirment avoir créé près de 250 cercles et ce, à partir de 1978. Ils poussaient même l'audace jusqu'à enchâsser leurs initiales (un double D) dans leurs pictogrammes. Un cercle qu'ils créent en plein jour pour faire la démonstration de leurs talents au tabloïd *Today* sera par la suite déclaré «authentique» par un expert en céréologie!

Comment s'y sont-ils pris? Grâce à une très haute technologie: de la corde, des bouts de planche et un «viseur» composé de fils fixés à la visière d'une casquette!

*   *   *

Ces histoires illustrent assez bien la facilité avec laquelle on peut tromper une quantité appréciable de gens avec des moyens pourtant incroyablement simples. Et comment certains en profitent pour ramasser quelques dollars... Elles démontrent aussi notre propension à chercher des explications extrêmement complexes à des phénomènes que l'on ne peut expliquer sur le coup, avant même de considérer d'autres hypothèses, moins romantiques certes, mais combien plus vraisemblables.

Références

CLARK, Jerome. *Encyclopedia of Strange and Unexplained Physical Phenomena*, Gale Research Inc., Detroit, 1993.

STEIN, Gordon. *Encyclopedia of Hoaxes*, Gale Research Inc, Detroit, 1993.

Urban Legends FAQ (http://www.best.com/~debunk).

Première parution: *Le Québec Sceptique*, printemps 1997

8

La recherche d'extraterrestres: un exemple à suivre pour le paranormal

Bruno Lamolet

> Les gens ne comprennent pas les merveilles de la science.... Et ils ne veulent pas savoir, parce qu'ils ont des soucoupes volantes et des extraterrestres.
>
> Harlan Ellison, *Time*, 7 avril 1997

Le 7 août 1996, la NASA annonçait à une planète stupéfaite qu'une équipe de chercheurs avait trouvé, sur une météorite d'origine martienne, ce qui avait toutes les apparences de microfossiles de bactéries, suggérant du même coup qu'il y aurait déjà eu de la vie sur Mars. L'exobiologie avait soudain quelque chose à étudier.

L'exobiologie, c'est la branche de la biologie qui s'intéresse à la vie ailleurs que sur la Terre. Les exobiologistes ne sont pas des ufologues et ne s'adonnent pas à la chasse aux ovnis. Mais ils constituent la preuve qu'on peut croire aux extraterrestres... et suivre une démarche scientifique !

Cette fameuse météorite en est un bon exemple. ALH84001, pesant 1,9 kg, a été trouvée en Antarctique en 1984. Il aura fallu attendre 1994 pour déterminer son origine martienne. Elle fait désormais partie du club sélect des 12 météorites originaires de Mars dont nous disposons. La roche qui la constitue remonte à la formation de Mars elle-même, il y a 4,5 milliards d'années. Les soi-disant microbes martiens s'y seraient infiltrés il y a 3,6 milliards d'années. On pense que des morceaux de la croûte martienne, incluant ce caillou, auraient été projetés dans l'espace lors de l'impact avec une grosse météorite. ALH84001 aurait dérivé pendant 16 millions d'années avant de s'échouer sur Terre, il y a 13 000 ans.

On avait déjà, depuis bien des années, détecté la présence de molécules à base de carbone appelées HAP (hydrocarbures aromatiques polycycliques), sur des comètes, des météorites et jusque dans des nuages de poussières interstellaires. Mais bien que la chimie du vivant soit basée sur le carbone, un composé chimique contenant du carbone n'est pas forcément la preuve d'une activité biologique.

Pourtant, à cause de l'origine martienne de la roche et de son âge, il était normal de se demander si les HAP de cette météorite-là ne seraient pas, eux, d'origine biologique. Une équipe de neuf chercheurs, dont le biominéralogiste Hajotollah Vali de l'université McGill, s'est donc lancée à la chasse. Et a trouvé plusieurs indices favorables à l'hypothèse «vie».

Des indices encourageants, mais aucune preuve, ont-ils bien pris soin de souligner: «Aucune de ces observations n'est en elle-même une preuve de l'existence d'une vie passée sur Mars.» C'est l'accumulation des observations qui les conduisait à croire que ces indices pouvaient être liés à une ancienne vie martienne.

Les autres experts restaient, pour leur part, prudents et, depuis 1996, d'autres recherches ont sérieusement ébranlé les conclusions initiales. Il faudra donc que les promoteurs de l'hypothèse biologique apportent une preuve formelle pour qu'elle soit acceptée.

Une situation qui n'est pas sans rappeler celle des sceptiques qui demandent aux tenants du paranormal d'apporter la preuve des hypothèses qu'ils avancent.

* * *

L'interprétation des chercheurs est compatible avec les faits, mais ça n'implique pas qu'ils aient nécessairement raison. Imaginons un thérapeute qui désire montrer la valeur de son traitement du mal de dos. Il l'applique sur un patient, et les douleurs disparaissent. Le thérapeute en conclut que son traitement est efficace. Son hypothèse est compatible avec les faits, mais ça ne prouve pas qu'elle soit juste. Sa conclusion est en effet prématurée.

Ça peut paraître évident de prime abord et pourtant, beaucoup de gens tomberont dans le piège. Nombreux sont ceux qui se contentent du simple fait que l'hypothèse «colle» à leur expérience, tout simplement parce qu'ils veulent y croire. Par exemple, le thérapeute peut être fortement disposé à croire en l'efficacité de son traitement parce qu'il l'a lui-même mis au point. Un ufologue peut se convaincre que des traces sur le sol ont été laissées par un engin extraterrestre.

Preuve positive contre preuve négative

Si ce n'est pas parce qu'une hypothèse semble vraie qu'elle l'est, c'est tout de même un début. On peut donc en faire une hypothèse de travail qu'on cherchera à valider. Hélas! trop souvent, les tenants du paranormal, plutôt que de tenter de valider leur hypothèse, vont essayer de montrer que c'est la seule valable, rejetant les hypothèses alternatives du revers de la main. «C'est la seule interprétation possible, il n'y a pas d'autres explications, donc...» «Cela n'a pas pu être fait par un humain, donc...» «Il n'y a aucune explication rationnelle, donc...» «Ce grand chercheur n'a pas été capable d'expliquer, donc...»

Bref, on en arrive à considérer qu'il n'y a pas d'explication, simplement parce qu'on n'est pas capable d'en formuler une. Pourtant, les raisons pour lesquelles on n'est pas capable d'en formuler une peuvent être multiples: on a mal compris le problème, on n'est pas réellement intéressé à trouver une autre explication, on manque d'information parce que celle-ci est très spécialisée, qu'elle n'est pas disponible ou qu'elle n'est pas là où on cherche, etc.

* * *

Reprenons l'exemple de notre météorite. La stratégie de l'équipe de la NASA ne consistait pas à chercher dans la roche des structures qui soient inexplicables, pour ensuite dire «cela ne peut pas être d'origine non biologique, donc c'est d'origine biologique». Elle a cherché des preuves *directes*. Il peut être difficile de savoir ce qui ferait l'affaire: voir des bactéries martiennes se multiplier serait évidemment réjouissant, mais il ne serait pas nécessaire d'aller jusque-là.

Les sceptiques demandent, eux aussi, des preuves directes de phénomènes paranormaux. Il existe des moyens pour tester l'efficacité des traitements médicaux alternatifs. Avec le «surnaturel», c'est déjà plus difficile: il faut commencer par s'entendre sur ce dont on parle.

Surnaturel, en effet, est un mot qui ne veut pas dire grand-chose: est surnaturel ce qui n'est pas naturel. Ce genre de définition ne sert pas à grand-chose: on peut désigner n'importe quoi comme surnaturel.

Il est souvent postulé que le surnaturel est quelque chose qui relève de l'esprit, d'une force ou d'une énergie inconnues, mais cela ne fait que déplacer le problème. Ces concepts servent de bouche-trous temporaires.

Personne ne nie qu'il y a des mystères et des phénomènes spontanés troublants. Mais qui peut prétendre que tous les phénomènes *naturels* soient connus? Il y a des choses que nous ne savons pas ou ne comprenons pas. Vouloir les expliquer avec des hypothèses vides ne nous mènera pas loin. Collectionner les histoires dérangeantes, les «anomalies», comme les appellent les tenants du paranormal, est peut-être réconfortant, mais c'est une démarche confuse qui n'explique rien.

Se pourrait-il tout de même qu'une force psychique existe? Ou qu'il y ait un moyen pour que nos pensées, nos émotions puissent se transmettre à un autre cerveau? Se pourrait-il que l'absence de preuve de l'existence de la télékinésie résulte de notre ignorance de la biologie et de la physique? À ces questions, d'un point de vue strictement logique, on ne peut répondre que «oui». Et c'est justement ce genre de phénomène et d'information qu'il faut chercher et étudier, si on tient vraiment à mettre en évidence les phénomènes paranormaux, et non pas simplement cultiver le mystère. Les scientifiques sont beaucoup plus réceptifs à ce genre de démarche. Et c'est pourquoi cette démarche est celle suivie par les exobiologistes. On ne peut pas rejeter *a priori* quoi que ce soit. Les tenants du paranormal nous le rappellent souvent. Ils ont raison.

Ils ont raison, mais il convient d'être prudent. D'abord, certains croient que, parce que la science évolue, on n'est pas obligé de tenir compte des théories actuelles, surtout quand elles ne font pas notre affaire. C'est une erreur. On abandonnera, on modifiera et on améliorera des hypothèses et des théories, mais on ne peut pas savoir lesquelles, ni comment elles vont changer. Si la physique newtonienne, par exemple, est aujourd'hui dépassée, elle n'est pas fausse pour autant. C'est plutôt que celle d'aujourd'hui, avec la physique quantique et la relativité, est beaucoup plus complète. Mais les lois de Newton sont toujours valables et elles nous permettent d'envoyer des sondes spatiales rencontrer des comètes.

On ne peut donc pas faire dire aux théories ce qu'on veut. Rien ne garantit que nos espérances seront un jour validées.

Tout n'est pas vrai

Il convient également d'être prudent, parce que tout n'est pas égal à tout. Ce n'est pas parce que je ne peux pas rejeter l'hypothèse psi ou l'hypothèse extraterrestre qu'elle est vraie. Je ne peux pas non plus rejeter *a priori* l'existence des Schtroumpfs, ce n'est pas une raison pour croire à leur existence. Il est impossible de prouver *l'inexistence* de quelque chose, Schtroumpf ou *poltergeists*. Parce que nos connaissances sont imparfaites et que, quelle que soit la méthode utilisée, il se peut toujours qu'il nous manque une donnée ou une information. Par contre, on peut prouver l'existence des Schtroumpfs en en capturant un, celle des pouvoirs psi en montrant la connexion entre deux cerveaux. Tout esprit critique qui se respecte devrait exiger une telle démonstration en condition contrôlée.

C'est à qui avance l'hypothèse qu'il incombe de la démontrer, qu'il soit psychologue, économiste, homéopathe ou exobiologiste.

Ce n'est pas une tâche facile, il ne faut pas se le cacher. Mais personne n'a non plus prétendu que la connaissance devait être une partie de plaisir.

Mais quel progrès ce serait! La découverte d'un mécanisme biologique expliquant la télépathie lui retirerait son caractère magique. Le scientifique qui démontrerait pareille chose serait en lice pour le Prix Nobel.

Une approche scientifique constructive est évidemment ardue. Il y a des dizaines d'années que les exobiologistes se sont mis au travail. Eux non plus ne savent pas exactement ce qu'ils doivent chercher ni où pointer leurs radiotélescopes. Il se pourrait qu'ils ne réussissent pas avant longtemps à apporter des preuves conformes aux exigences requises, mais ce ne sera jamais une raison pour abaisser leurs critères. Dans le doute, il vaut mieux reconnaître qu'on ne sait pas, plutôt que de s'évertuer à faire valoir nos croyances.

En face des critiques de ses collègues, l'équipe de la NASA n'a pas crié à l'injustice. Elle ne s'est pas comparée à Galilée, persécuté par le pouvoir. Les chercheurs n'ont pas demandé aux critiques d'être «ouverts d'esprit» ou d'utiliser leur intuition. Ils n'ont pas dit: «Il faut y croire pour voir les preuves».

Ils sont restés prudents. Certes, c'est décevant pour ceux qui veulent y croire, mais ils doivent prendre leur mal en patience: c'est à ce seul prix que la science peut conserver sa rigueur et sa crédibilité.

* * *

John Kerridge, du département de chimie de UCSD, l'un des stratèges du programme de recherche de vie sur Mars de la NASA, a été surpris que les entrevues accordées aux réseaux de télé, au cours desquelles il affichait son scepticisme, n'aient pas été diffusées. De plus, après que ses doutes eurent été rendus publics, le réseau CNN et l'émission *Nightline* (ABC) ont annulé une entrevue qu'il devait leur accorder. «Pour les scientifiques qui feront face à une telle situation dans le futur, nous prévient-il, si vous voulez passer à la télévision, il va falloir que vous leur disiez ce que vous pensez qu'ils veulent entendre.» Eh oui. Même en science, dès qu'il y a du spectaculaire, les sceptiques n'ont plus la cote... la cote d'écoute, bien sûr.

Références

COUILLARD, P. «Les extraterrestres et les limites de l'adhésion scientifique», *Québec sceptique* n° 24, p. 33-34.

KERR, R.A. «Ancient Life on Mars?», *Science* 273 (5277), p. 864-866. Sur Internet: www.sciencemag.org/science/scripts/display/full/273/5277/864.html

KERRIDGE, J.K. «Mars Media Mayhem», *Science* 274 (5285).

ROSTAND, J. *Ce que je crois*, édition revue et augmentée, Grasset, 1953, p. 72.

Pour avoir une idée de ce qui se fait et se pense dans ce domaine, je vous recommande *Intelligences* extraterr*estres*, de Jean Heidmann, astronome et collaborateur au programme SETI (*Search for Extraterrestrial Intelligence*) aux Éditions Odile Jacob.

9

Voir ce qu'on veut bien voir

Claude Mac Duff

Un fait divers, qui s'est produit le mercredi 6 janvier 1993, illustre la méprise à laquelle peuvent donner lieu des observations d'humanoïdes, faites par des témoins multiples.

À 16 h 10, un inspecteur de la Société de transport de la Rive-Sud de Montréal circule sur le pont Champlain. Il croit apercevoir deux personnes à la dérive sur le fleuve Saint-Laurent, dans une petite embarcation près d'un pylône d'Hydro-Québec. La Sûreté du Québec est prévenue, ainsi que la police des Ports nationaux et la Garde côtière. La SQ demande à un journaliste de la radio, affecté à la circulation automobile depuis un hélicoptère, de survoler les lieux.

À 16 h 45, ce journaliste confirme qu'il voit trois personnes sur le pylône, dont l'une lui fait même des signes de détresse. Le branle-bas de combat est sonné.

À 18 h 30, l'équipe de sauveteurs parvient aux abords du pylône. Et c'est seulement alors que les autorités réalisent qu'il n'y a jamais eu de naufragés. Par contre, il s'y trouve des piquets de métal dont la conformation explique la méprise.

On verra, aux journaux télévisés de fin de soirée, qu'une foule de gens s'était rassemblée sur les bords du fleuve, plusieurs scrutant aux jumelles le fameux pylône. Pourtant, personne ne semble avoir vu ce qu'il y avait vraiment à voir.

Que s'est-il passé? Rien de bien exceptionnel, quand on y pense. Le témoignage du journaliste depuis son hélicoptère, par exemple: à partir de là, qui aurait pu encore douter qu'il y avait vraiment des gens en détresse au milieu du Saint-Laurent?

Ajoutons que l'incident est survenu en fin de journée, par temps nuageux et brumeux...

Cet incident illustre comment, dans maints rapports d'observations de «soucoupes volantes», il est facile d'être trompé par ses yeux. Ça se passe souvent la nuit, dans un endroit non familier au témoin, dans des circonstances psychologiques particulières, avec des conditions atmosphériques ou astronomiques inhabituelles, etc.

L'ambiance joue un rôle prépondérant, que ce soient les explications hâtives ou celles qui sont dans l'air du temps: qui ne pense pas spontanément «soucoupe volante», quand il voit dans le ciel un phénomène qu'il ne peut pas identifier?

Cet incident montre aussi que lorsqu'une information n'est pas vérifiée, elle prend très rapidement vie. La rumeur publique la transforme en une réalité que les témoins acceptent ou même confirment, et que les médias ne tardent pas à relayer.

Première publication: *Québec Sceptique*, été 1993.

Qu'avez-vous vu?

Le chercheur Paolo Toselli a choisi comme sujet d'expérience une vague de témoignages remontant au 13 septembre 1979. Ce jour-là, des milliers de gens avaient vu un objet bien réel dans le ciel: il devait se révéler qu'il s'agissait d'un ballon-sonde. Le chercheur demanda donc à une cinquantaine de témoins de résumer ce qu'ils avaient vu et de le dessiner.

La majorité des témoignages fut conforme à la réalité, mais il en subsista tout de même 25% qui furent différents ou très différents. Il en ressort que, si l'on n'établit pas d'une part, la proportion de gens qui ont bien vu ce qu'ils disent, et d'autre part ceux qui ont cru en toute sincérité voir autre chose, on s'expose à l'erreur. On mettrait sur un pied d'égalité des témoignages inexacts et des témoignages exacts.

Extrait de *Science et Vie*, novembre 1991.

10

Démons et extraterrestres: la paralysie du sommeil

Geneviève Martel et Dominique Joly
Agence Science-Presse

Vous vous réveillez en sursaut: vous émergez d'un cauchemar... juste pour prendre conscience d'une présence dans votre chambre. Vous n'osez pas bouger, vous n'osez pas regarder – Dieu seul sait ce que vous verriez alors: le visage grimaçant de quelque démon...

En fait, ce n'est pas que vous n'osiez pas bouger: vous ne pouvez carrément pas bouger. Le corps ne répond pas aux commandes du cerveau. Le spectre vous presse la poitrine, il plonge son regard dans le vôtre...

Les visiteurs nocturnes qui guettent dans l'ombre n'existent pas que dans l'imagination des enfants. Beaucoup d'adultes les rêvent aussi – et les ont rêvés à travers les siècles: au gré des époques, on les a appelés incubes ou succubes, sorcières, spectres ou vampires. Il fut un temps où on ne pouvait faire autrement que de croire en leur existence: le Vatican l'avait dit! Le pape Innocent VIII a en effet approuvé la publication, en 1484, du *Malleus Maleficarum* (le Marteau des sorcières), ouvrage fort utile, puisqu'il explique comment débusquer les monstres...

La paralysie du sommeil

Toutes ces peurs empruntent la forme de l'angoisse appropriée au lieu et au siècle. Le sociologue Benjamin Leblanc est de ceux qui croient que l'un des troubles reliés au sommeil, la paralysie du sommeil, pourrait être à la base de nombreuses croyances d'attaques nocturnes, des incubes aux enlèvements par des sectes satanistes, en passant par les agressions par des extraterrestres – forme appropriée, s'il en est, à notre ère spatiale.

«Revenant nocturne», «fantôme oppresseur»: l'image décrit avec éloquence les symptômes les plus courants du cauchemar: le Dr Tore Nielsen, psychologue au Laboratoire du sommeil, explique que la paralysie du sommeil survient lors de l'assoupissement ou près de l'éveil, alors que le sujet se trouve dans un état de somnolence. L'expérience se traduit par une incapacité de bouger et de parler. Les gens sont pourtant conscients d'être dans leur chambre. En général, les yeux et la respiration ne sont pas affectés, mais une sensation de pression sur la poitrine survient. Comme cet état s'accompagne presque toujours d'hallucinations, le sujet qui les subit au sortir d'un cauchemar passe un réel mauvais quart d'heure.

La paralysie est encore plus terrifiante lorsque des visions l'accompagnent, car la personne est alors incapable de se sauver, de crier, de demander de l'aide ou de se protéger. Au prix d'un effort surhumain, à peine sera-t-elle capable de bouger faiblement un membre.

La plupart des gens ont expérimenté la paralysie du sommeil au moins une ou deux fois dans leur vie. «J'ai moi-même déjà connu cet état plusieurs fois et je suis normal. Je ne le vois pas comme un problème» raconte le Dr Nielsen.

Une fois le phénomène connu et expliqué, il est vrai qu'il perd de son aspect terrifiant. Toutefois, certaines personnes, victimes de paralysie du sommeil, croient vraiment qu'elles sont en train de devenir folles.

«Ceux qui consultent pour un problème de paralysie du sommeil croient différentes choses selon leur expérience individuelle. Certains pensent vivre une projection astrale, ce qui n'est pas en soi une expérience négative, mais d'autres arrivent convaincus que des démons les tourmentent. Puisqu'ils ont été tourmentés toute leur vie, ils y croient vraiment.» Lorsque le médecin leur parle d'hallucinations ou de rêves en tant que symptômes, ils sont immédiatement soulagés de savoir qu'ils n'ont pas perdu la boule...

Mais pourquoi croit-on voir un monstre? Depuis les années 80, plusieurs auteurs ont proposé leur hypothèse. Celle de Benjamin Leblanc établit un lien entre les hallucinations et les «bonhommes sept-heures» des époques passées. Il se dégage que beaucoup de croyances se recoupent d'une culture à l'autre: Nielsen, autant que Leblanc, mentionne les plus récentes, ces enlèvements par des extra-terrestres ou par des «sectes sataniques», où il est question de victimes qui sont paralysées, hypnotisées... Étrangement, elles présentent exactement les mêmes symptômes que ces bons chrétiens, harcelés par des incubes, quelques centaines d'années plus tôt...

Une bonne raison pour que, de l'avis de M. Leblanc, il ne faille pas s'attendre à ce que les assauts nocturnes cessent dans un futur proche: les créatures qui rôdent ont la couenne dure. Elles endosseront d'autres identités et changeront de forme, s'adaptant à la culture du temps et du lieu. Une seule chose est sûre: ces nouveaux démons devront symboliser l'inconnu, le menaçant, le ténébreux. Tant mieux s'il y plane une odeur de soufre, ça fait plus «authentique»,..

Hebdo-Science, 12 janvier 1999

11

Le phénomène des faux souvenirs

Isabelle Burgun
Agence Science-Presse

Sur le divan de son psychologue, une jeune fille, sous hypnose, retrouve des souvenirs de violences sexuelles qu'elle ne possédait pas... Sa sœur jumelle lui emboîte le pas et se découvre, elle aussi, des souvenirs de violences. Cette double révélation pousse les jeunes filles à porter plainte contre leur père. Après six semaines de procès, le verdict tombe: les souvenirs des jeunes filles sont... faux.

La mémoire est une faculté qui oublie, à ce qu'on dit. Mais c'est aussi une faculté très malléable, beaucoup plus malléable qu'on ne le soupçonnait il n'y a pas si longtemps, et qui peut emmagasiner des souvenirs d'événements qui ne se sont jamais produits. De plus en plus d'études scientifiques révèlent que des gens sains d'esprit, comme la jeune fille sur le divan de son psychologue, peuvent absorber des souvenirs fabriqués de toutes pièces, et les croire vrais.

Le Dr Jean-Roch Laurence, professeur de psychologie et directeur du Laboratoire sur la mémoire autobiographique et les états modifiés de conscience de l'université Concordia, a déjà été amené à témoigner devant les tribunaux pour des causes de ce genre. «Mon rôle est d'expliquer au jury comment une consultation psychologique qui utilise l'hypnose peut amener à fabriquer des souvenirs.» Et pas n'importe quels souvenirs: histoires d'enlèvements par des extra-terrestres, violence sexuelle, rites sataniques... Bon nombre de récits «retrouvés» paraissent si invraisemblables qu'ils feraient pâlir d'envie les scénaristes de la série *The X-Files*.

Le phénomène n'est pas marginal: plus d'un patient sur 25 aurait forgé en cours de thérapie un souvenir de violence sexuelle, conclut une étude menée auprès de 220 psychiatres, psychologues et travailleurs sociaux québécois, par le laboratoire de recherche sur la mémoire. Pour le Dr Laurence, la relation thérapeutique est au cœur du phénomène. «Une majorité de thérapeutes et de patients pensent que les «*flash-backs*» sont vrais, alors qu'il y a une chance sur deux pour que ceux-ci ne soient que le fruit de notre imagination!»

Les souvenirs retrouvés sont en fait depuis des années au cœur d'une controverse où deux écoles de pensée s'affrontent. La première, celle des cliniciens, invoque le phénomène du refoulement et voit la mémoire comme une fonction «fixe». L'autre, celle des chercheurs, s'appuie sur ce qu'on connaît scientifiquement: la mémoire est quelque chose de mouvant et le refoulement n'a jamais été démontré scientifiquement.

Fabriquer ses souvenirs

En laboratoire, le Dr Laurence réussit bel et bien à «fabriquer» des souvenirs au moyen de l'hypnose. Au cours d'une expérience, des sujets ont été soumis à une régression jusque dans l'utérus de leur mère. À chaque étape, des suggestions leur étaient faites. Après l'expérience, de nombreuses personnes avaient une foule de souvenirs de leur petite enfance et de leur vie utérine qu'ils ne possédaient pas auparavant: les mêmes que ceux que leur avait glissés à l'oreille le chercheur!

Comment est-il possible d'inscrire dans notre mémoire un événement qui ne nous est jamais arrivé? Il faut d'abord un bon sujet, c'est-à-dire une personne capable de bien se concentrer et de visualiser. Cette personne doit également avoir une imagination développée. «C'est aussi quelqu'un qui a le pouvoir d'absorber ses fantasmes et d'évoluer facilement à l'intérieur de ceux-ci», précise le Dr Laurence.

Il y a un nom pour ce type de personnalité: «personnalité caméléon». Chez un excellent sujet hypnotique, la construction du souvenir est rapide, voire automatique. Un mot devient image, puis l'histoire prend naissance. Le processus continuel de «construction» mené par notre imagination va intensifier le récit. Par la suite, la répétition contribue à inscrire le souvenir de manière permanente. C'est comme si l'on vivait l'événement plusieurs fois: assez pour que toute l'attention finisse par se concentrer sur l'histoire, et qu'on en oublie de douter de sa réalité!

Il est même facile de convaincre une proportion étonnante de gens (un sur quatre!) d'un événement qui ne s'est jamais produit, selon une étude de psychologues de l'université de Washington à Seattle. On imagine dès lors le terrain qui s'offre aux individus animés de mauvaises intentions. «Le simple fait d'imaginer un événement fictif de l'enfance augmente la confiance des gens dans le fait que cet événement leur soit arrivé», affirmait Elizabeth Loftus, professeur de psychologie, au congrès annuel de l'Association américaine pour l'avancement des sciences.

On savait déjà que la mémoire était sélective: au fil du temps, elle condense, choisit et par conséquent transforme les données enregistrées. Les personnes se souviennent de ce que les spécialistes appellent «l'essence du souvenir». Lorsqu'une personne «consulte» sa mémoire, elle reconstruit des souvenirs plutôt qu'elle ne les reproduit.

«Une patiente qui s'était sortie de sa dépression m'a raconté qu'elle ne regardait plus son enfance du même oeil», note le Dr Laurence. Autrement dit, c'est jusqu'à notre état émotif qui influencerait notre vision du passé. Selon qu'ils sont heureux ou malheureux, les souvenirs se colorent de notre émotivité.

Si l'on ajoute à cela le pouvoir suggestif des médias, de la littérature, de nos proches, des thérapeutes... et de nous-même, on peut imaginer à quel point notre compréhension des mécanismes de la mémoire n'en soit qu'à ses balbutiements...

Première parution: *Hebdo-Science*, 12 août 1997.

12

Comment interpréter les témoignages

Claude Lafleur

1. Le témoin a-t-il directement assisté aux événements? Il est essentiel de ne considérer que des témoignages de première main.

2. Quelles sont les circonstances des événements? S'il y avait du brouillard, s'il faisait nuit ou si l'événement n'a été observé que durant quelques secondes, il est alors plus difficile d'évaluer ce qui s'est réellement passé.

3. Y a-t-il convergence entre plusieurs témoignages? Si des témoins indépendants sont d'accord entre eux, cela renforce d'autant les probabilités que leurs témoignages reflètent bien la réalité.

4. Quel est l'état physique et mental du témoin? Était-il en condition pour évaluer avec justesse les faits (état de surexcitation, déséquilibre émotif, fatigue, etc.).

5. Quelles sont la profession et la formation du témoin? Celui-ci a-t-il un intérêt quelconque pour la question en cause?

6. Combien de temps s'est-il écoulé entre l'observation rapportée et le recueil des témoignages? L'esprit humain déforme rapidement ce qu'il perçoit: quelques semaines suffisent pour modifier substantiellement les souvenirs.

7. Pourquoi témoigne-t-on? Un témoin qui vient de «vendre» son histoire est moins crédible. En outre, tout témoin risque (involontairement?) d'embellir son histoire afin de se rendre intéressant.

8. Qui a recueilli le témoignage? Y a-t-il risque de manipulation, volontaire ou inconsciente?

9. S'il y a des documents (photos, enregistrements, traces, échantillons, etc.) ceux-ci ont-ils pu avoir été manipulés entre la cueillette et maintenant?

10. Enfin – c'est l'évidence même – si quelqu'un témoigne contre ses propres intérêts, il devient beaucoup plus crédible que s'il parle pour «sa cause».

TROISIÈME PARTIE:

POURTANT, J'AI ÉTÉ GUÉRI!

Les médecins les plus dangereux sont ceux qui, comédiens nés, imitent le médecin né avec un art consommé d'illusion.

F. Nietsche, *Humains, trop humains*

1

Risquer sa vie pour la science!

Denis Labelle et Danny Lemieux

Peut-être effondrés par leur misérable vie de sceptiques, trois maheureux ont décidé de mettre fin à leurs jours. Alain Bonnier (physicien-informaticien), Michel Virard (ingénieur) et Pascal Forget (future célébrité!) ont voulu faire les choses proprement: une violente intoxication à l'arsenic et à la strychnine. Et c'est mieux si on utilise une version plus puissante encore: des pilules homéopathiques.

Car selon la théorie homéopathique, plus une substance est diluée, plus puissants sont ses effets. Les organisateurs de ce suicide collectif, qui avait lieu dans le cadre d'un souper mensuel des Sceptiques québécois, n'ont donc pas lésiné sur la dose: rien de moins des dilutions allant jusqu'à 30 cH (voir chapitre suivant). Aucune possibilité de s'en sortir.

Sourire aux lèvres, la pharmacienne Lysandre Donaldson s'approche du micro. Elle prend soin de bien expliquer le sort qui les attend. «La dose létale, ou meurtrière, pour une intoxication aiguë à l'arsenic est de 120 mg, c'est-à-dire l'équivalent de quelque petites pilules. La mort apparaît presque instantanément. Pour ce qui est de la strychnine, la dose létale est de 15 à 30 mg seulement.» Et la voilà qui distribue à chacun des (joyeux) désespérés dix flacons contenant chacun 100 granules homéopathiques!

Tous trois déversent les fioles dans leur bol. Se sourient. Portent un toast. Cric, crac, croc! Les granules s'affolent dans leur bouche. La mastication semble ardue, mais aucune douleur ne fige leur figure. On dirait des enfants devant des plats de bonbons.

Le «repas» se termine. Chacun, à tour de rôle, n'a pas beaucoup de mal à démontrer qu'il est toujours bien portant. Principal commentaire: les granules sont dures et pas très ragoûtantes, en croquer 1000 d'un coup a été une bien rude épreuve pour les muscles masticateurs... Alain Bonnier est suffisamment en forme pour nous expliquer, avec maquette de molécule et tout le tralala, ce qui se passe à l'échelle de l'infiniment petit.

Qu'avons-nous réussi à démontrer? Que les potions homéopathiques sont inoffensives? Bien sûr, puisqu'elles ne contiennent aucun produit actif. Sont-elles efficaces? Bien sûr que non... pour la même raison!

2

Cette mystérieuse médecine homéopathique

Georges-André Tessier

Les origines douteuses de l'homéopathie

Comme la plupart des thérapies alternatives, l'homéopathie a le vent dans les voiles. Presque inexistante au Québec dans les années 60, elle fait maintenant de nombreux adeptes. On comptait en 1992 au moins 115 médecins qui la pratiquaient, et quelque 1000 pharmaciens qui en distribuaient les produits. L'Ordre des pharmaciens du Québec estime que de 25 à 50 % de la population aurait déjà fait usage des granules homéopathiques. Pourtant, l'homéopathie n'est pas reconnue par les autorités médicales ; elle est vivement contestée dans la communauté scientifique. Et la controverse est aussi vieille que l'homéopathie.

L'homéopathie a été fondée par Samuel Hahnemann, un médecin allemand né à Meissen en 1755. C'est à 35 ans qu'Hahnemann aurait eu l'idée d'expérimenter sur lui-même l'écorce de quinquina que l'on utilisait pour soigner la fièvre des crises de paludisme. Hahnemann observa que le quinquina provoquait chez une personne en bonne santé, comme lui, des symptômes semblables à ceux du paludisme. Il crut alors qu'il venait de démontrer la «loi de similitude» d'un savant grec de l'Antiquité, Hippocrate, d'après laquelle une substance qui provoque des symptômes chez une personne en santé guérira les mêmes symptômes chez une personne malade.

Des expériences avec d'autres drogues de son époque (aconit, arsenic, belladone, etc.) le confortèrent dans sa conviction qu'il venait de découvrir un moyen simple de guérir «toutes les maladies».

À l'usage toutefois, sa thérapeutique ne donna pas les résultats espérés. Aux symptômes de la maladie, s'ajoutaient ceux provoqués par le médicament, ce qui aboutissait à une aggravation du cas. C'est pour contrer ce phénomène que Hahnemann eut l'idée de diluer ses drogues dans d'importants volumes d'eau ou d'alcool.

De là le second principe: le principe de dilution. Et Hahnemann imposa que cette dilution se fasse progressivement, entrecoupée par des secousses pour «dynamiser» le remède.

Sa nouvelle médecine obtint dès le début du XIXe siècle une assez grande diffusion. Aux États-Unis, l'homéopathie connut un véritable âge d'or vers 1860, alors qu'on comptait 56 hôpitaux homéopathiques et près de 13 000 praticiens. Au Québec, plusieurs étaient regroupés au sein de la *Montreal Homeopathic Association*. La ville de Montréal a même compté un hôpital spécialisé de 1894 à 1951. La désaffection du corps médical pour l'homéopathie entraîna une transformation de sa vocation, puis un changement de nom en *Queen Elizabeth Hospital*.

Ce déclin de l'homéopathie au Québec était le reflet du recul ailleurs dans le monde. La médecine moderne faisait ses preuves, et les succès remportés par la pénicilline et les autres médicaments modernes entraînèrent la disparition des pratiques anciennes.

3

Comment ça marche,
l'homéopathie?

Georges-André Tessier et Pascal Lapointe

Malgré l'existence de plusieurs écoles de pensée, tous les homéopathes partagent trois principes de base: les principes de similitude, de dilution et de dynamisation. Des principes qui, avec les progrès des connaissances des deux derniers siècles, en sont venus à se placer en flagrante contradiction avec la chimie moderne.

1) Similitude. La loi de similitude est énoncée comme un principe universel qui ne souffre pas d'exceptions. «Toute substance» qui provoque des symptômes chez une personne en bonne santé deviendrait un remède pour soigner les mêmes symptômes chez un malade. Par exemple, le café, qui provoque de la nervosité et de l'insomnie chez une personne bien portante, devient pour l'homéopathe un remède pour soigner... la nervosité et l'insomnie.

Le fait que cette loi soit incontestable explique le nombre considérable de «médicaments» homéopathiques (plus de 1163).

Pour Robert Goyer, de la Faculté de pharmacie de l'Université de Montréal, ce principe est malheureusement trop simple pour être vrai. L'aspirine, par exemple, soulage les maux de tête des malades, sans pour autant provoquer de maux de tête chez une personne bien portante! Inversement, l'aspirine provoque des brûlures gastriques chez une personne bien portante, sans pour autant guérir les personnes souffrant de brûlures gastriques.

Raymond Chevalier, l'un des premiers pharmaciens à avoir dénoncé ce qu'il appelle «l'Homéo-magie», est plus cinglant. Pour lui, la loi de similitude, prise dans son sens littéral, est invraisemblable. Peut-on croire que le sucre puisse soigner la carie dentaire sous le seul prétexte qu'il la provoque chez un enfant aux dents saines?

2) Dilution. Ce second principe est encore plus souvent contesté. Hahnemann recommandait de faire successivement les dilutions dans une proportion de un pour 100. Autrement dit, vous prenez une goutte du produit que vous voulez utiliser (arsenic, sirop pour la toux, etc.) et vous la versez dans 100 gouttes d'eau. C'est la première dilution.

Vous brassez (en langage d'homéopathe, on appelle ça «dynamiser»). Vous prélevez une goutte du mélange obtenu (et non du produit original) et vous la versez dans 100 gouttes d'eau. C'est la deuxième dilution.

Vous brassez. Vous prenez une goutte du nouveau mélange, et vous la versez dans 100 gouttes d'eau. C'est la troisième dilution. Vous brassez. Et ainsi de suite.

Selon les homéopathes, il faut se rendre au moins jusqu'à la 11e dilution. Certains prétendent que le produit sera plus efficace à la 20e ou 30e dilution, voire plus encore.

Cette théorie pouvait avoir du sens au XIXe siècle, lorsqu'on ne connaissait à peu près rien à la chimie. Sauf que depuis, le Français Jean Perrin a élaboré une méthode pour compter les molécules contenues dans la matière: on appelle ça le nombre d'Avogadro ($6,023 \times 10^{23}$). Cela lui a valu le Prix Nobel de physique en 1926.

Dès lors, il devenait possible de compter le nombre de molécules du produit initial qui, en moyenne, «survivaient» d'une dilution à l'autre. Ce fut un coup terrible pour l'homéopathie: aux environs de la 9e dilution (9 cH), il n'y a plus une seule molécule du produit original dans chaque granule. À la 30e dilution (30 cH), il faudrait théoriquement acheter 1 000 000 000 000 000 000 000 000 000 000 000 000 000 000 000 000 de granules pour avoir une chance de trouver une seule molécule du produit original!

3) Dynamisation. La plupart des homéopathes admettent ce calcul, mais ne se laissent pas démonter pour autant. Pour eux, la présence du produit n'est pas nécessaire puisque l'eau (ou l'alcool) a été «dynamisée».

La façon dont ce troisième principe est formulé diffère suivant les écoles d'appartenance. Les homéopathes «vitalistes» diront que la qualité virtuelle du médicament a été transmise à l'eau par les fortes secousses. Les homéopathes matérialistes emploieront un concept forgé de toutes pièces au XXᵉ siècle et défendu de nos jours par le Français Jacques Benveniste: *la mémoire de l'eau*. L'eau se «souviendrait» du produit avec lequel elle a été en contact.

La faille, derrière ce raisonnement, est évidente: si les molécules d'eau peuvent se souvenir d'un autre produit grâce à ce simple «contact», alors l'eau pure n'existe pas: pensez à tous les produits avec lesquels une eau, même stérilisée, a été en contact avant d'arriver dans votre verre... ou dans le flacon de l'homéopathe!

Les dilutions homéopathiques

Il est difficile d'imaginer concrètement à quoi correspondent les hautes dilutions homéopathiques: une goutte du produit dans 100 gouttes d'eau (1 cH), puis une goutte du résultat dans 100 gouttes d'eau (2 cH) et ainsi de suite... Voyons cela ainsi:

4 cH Une goutte de la substance initiale dans une piscine de jardin

5 cH Une goutte dans une piscine olympique.

6 cH Une goutte dans un étang de 250 m de diamètre

7 cH Une goutte dans un petit lac

8 cH Une goutte dans un grand lac (10 km² par 20 m de profondeur)

9 cH Une goutte dans un très grand lac (200 km² par 50 m)

10 cH Une goutte dans la Baie d'Hudson

11 cH Une goutte dans la mer Méditerranée

12 cH Une goutte dans le volume total de tous les océans de la planète

30 cH Une goutte dans un milliard de milliard de milliard de milliard de fois toute l'eau de tous les océans de la planète

4

Qui refuse d'examiner les preuves?

Georges-André Tessier

Les homéopathes obtiennent tout de même des succès. Chaque adepte rapporte des cas de guérisons. L'homéopathie serait-elle efficace, malgré tout?

Plusieurs générations de chercheurs ont tenté de répondre. Au XIXᵉ siècle, on comptait une vingtaine d'essais cliniques réalisés dans divers hôpitaux européens. Au début du XXᵉ, d'autres études étaient menées par des homéopathes américains qui commençaient à douter. En Allemagne où, avant la Seconde guerre mondiale, l'homéopathie jouissait de la protection des nazis, d'autres dilutions ont été éprouvées. Les résultats désastreux, chaque fois, ont été un facteur important de la désaffection de l'homéopathie par le corps médical dans la première moitié du XXᵉ siècle.

Ces travaux sont rapportés par le Dr Jean-Jacques Aulas qui, avec son équipe, a effectué une lecture exhaustive des recherches effectuées depuis la fondation de l'homéopathie. Sur plus de 1000 substances, *aucune* n'est parvenue à prouver son efficacité.

Des recherches réalisées en France et en Angleterre au cours des deux dernières décennies défendraient l'homéopathie, prétendent les homéopathes, mais elles ont pour la plupart été réalisées sous le parrainage des sociétés qui vendent les produits homéopathiques et elles souffrent de graves lacunes méthodologiques.

C'est sensiblement le même jugement que porte le Dr Latulippe, du Département de médecine familiale de l'Université Laval à Québec, qui a lui aussi collaboré, en 1992, à un essai clinique cherchant à vérifier l'efficacité d'un remède homéopathique soi-disant capable de faire disparaître des verrues plantaires: les homéopathes se vantent d'obtenir 80% de succès. Cet essai fut réalisé avec la collaboration d'un médecin homéopathe. Les chercheurs ont composé deux groupes de patients présentant des verrues plantaires. Au premier groupe, ils ont donné le remède homéopathique. Au second, des «pilules» de sucre (ce qu'on appelle un placebo).

Parmi les 86 patients traités par l'homéopathie, 20% ont vu disparaître leurs verrues après 18 semaines. Mais dans le groupe soigné seulement par des granules de sucre, le taux de guérison s'est élevé... à 24,4%!

Plus récemment, une autre équipe de Québec, dirigée par le Dr Lucie Baillargeon, a elle aussi réalisé un essai clinique. Il s'agissait cette fois d'un remède supposément capable de hâter la coagulation sanguine. Les résultats ne montrèrent aucune différence entre le groupe traité par l'homéopathie et le groupe traité par des placebos.

Il faut noter que ce genre de déception se produit aussi dans la recherche pharmaceutique. Certains médicaments expérimentaux montrent initialement des résultats spectaculaires, mais qui sont ramenés à zéro lorsqu'ils font l'objet d'une étude rigoureuse. Il s'agit souvent d'une erreur provoquée par un biais psychologique: un chercheur trop confiant surestime un médicament en réalité inefficace.

Mais la différence avec l'homéopathie, c'est que ces médicaments expérimentaux inefficaces ne se rendront pas, eux, jusqu'aux tablettes des pharmaciens...

Une popularité croissante

Malgré l'absence de preuves, l'homéopathie jouit d'une popularité croissante. Les homéopathes jouent d'ailleurs moins la carte scientifique que la carte para-scientifique. L'homéopathie s'affiche comme médecine «douce» et finit par être portée par un courant culturel très réceptif aux réalités «immatérielles».

Cette popularité exerce une pression politique. En France, une adepte des nouvelles médecines, Georgina Dufoix, nommée ministre des Affaires sociales, a commandé à des chercheurs de l'INSERM, en 1985, des études cliniques pour éprouver les dilutions homéopathiques. Elles se sont révélées négatives, mais ce n'était qu'un coup d'envoi. Aux États-Unis, ce seraient aussi les pressions politiques qui auraient amené les *National Institutes of Health* (NIH) à s'être doté, en 1992, d'un programme d'évaluation des pratiques alternatives, dont l'homéopathie.

Au Québec, en 1989, une pétition de 87 000 noms a été transmise à la ministre de la Santé dans le but d'obtenir la reconnaissance des médecines alternatives. En 1993, la Commission parlementaire des thérapies alternatives recevait les demandes de puissants lobbies réclamant du ministre Marc-Yvan Côté la reconnaissance de l'homéopathie et son enseignement à l'université. En 1997, une autre tentative de donner au Canada un statut légal à l'homéopathie était tuée dans l'œuf.

Il ne faut pas se leurrer: tant que le scepticisme restera un mot honni dans certains milieux, la popularité de l'homéopathie suffira à elle seule à maintenir la pression, au détriment de tous les arguments scientifiques possibles et imaginables.

Qu'est-ce que l'effet placebo?

Les scientifiques invoquent souvent «l'effet placebo», ce qui a le don d'irriter les partisans des médecines alternatives. Il faut tout d'abord savoir qu'un placebo, c'est une «fausse pilule», souvent un mélange de farine et de sucre, auquel on peut ajouter du colorant pour lui donner plus... d'authenticité.

On utilise le placebo dans pratiquement tous les tests de nouveaux médicaments: un groupe de gens souffrant d'une maladie X est réuni; la moitié reçoit le médicament expérimental, l'autre moitié, le placebo. Aucun ne sait dans quelle «moitié» il se trouve. Après une période donnée, on compare les résultats.

Or, écrivait en 1988 le pharmacien Raymond Chevalier, un coup d'œil sur la littérature pharmacologique pourrait laisser croire qu'un placebo, c'est diablement efficace! Grâce à lui, 30% des patients souffrant de la maladie de Crohn sont «soulagés», 30% de ceux affligés d'allergie chronique, 60% pour les bronchites chroniques...

Évidemment, on ne croit pas vraiment que la farine et le sucre aient «guéri» ces gens. On ne sait pas exactement ce qui s'est passé. Peut-être n'étaient-ils pas vraiment malades. Peut-être la confiance à l'égard du médicament a-t-elle eu un effet tonifiant. Peut-être notre système immunitaire est-il encore plus efficace que nous ne le soupçonnons.

Ce qui est sûr, c'est que si on avait utilisé l'homéopathie chez ces patients, ils auraient été nombreux à crier au miracle...

Les homéopathes n'aiment pas voir leur thérapeutique classée au côté de la «poudre de Perlimpinpin». Le syndicat professionnel des homéopathes du Québec réplique en soulignant que des nourrissons et des animaux ont été soignés efficacement par l'homéopathie et que, dans leur cas, on ne peut évidemment invoquer l'effet placebo.

Ça paraît troublant. Sauf que lorsqu'on vérifie, on s'aperçoit que les maladies des enfants et des animaux «guéries» par l'homéopathie sont celles qui ont le plus haut taux de guérison spontanée (le système immunitaire, encore lui). Les homéopathes ne feraient donc que récolter les lauriers de guérisons que la nature réalise sans leur concours...

Pourtant, ça marche!

En bout de course, les homéopathes avancent leur dernier argument: les cas de guérisons dont ils sont des témoins de bonne foi. Les homéopathes ne sont d'ailleurs pas les seuls. Les réflexologues, les urinothérapeutes, même les «médecins du ciel» (qui soignent avec l'aide des entités), tous ont des cas de guérisons spectaculaires.

Évidemment, les adeptes des médecines douces ne sont pas des imbéciles. S'il n'y avait jamais de guérison (0%), il n'y aurait pas de médecines douces. Le nombre de guérisons ne dépasse peut-être pas celui des guérisons placebo, mais cela suffit largement: *une guérison jouit d'une publicité inversement proportionnelle à son orthodoxie.*

Par exemple, si un patient souffre d'une maladie X et va voir son médecin, il s'attend à ce que le traitement orthodoxe fonctionne. Si le patient guérit, il n'en parlera pas, parce qu'il n'y a là rien d'extraordinaire. Par contre, s'il ne guérit pas, il se plaindra de l'inefficacité de la médecine «traditionnelle».

Inversement, si le même patient va voir un homéopathe, il ne s'attend pas vraiment à ce que ça marche. S'il ne guérit pas, il n'en parlera pas. Par contre, s'il guérit, il sera si surpris qu'il le fera savoir à son entourage.

Résultat: un traitement orthodoxe fera surtout parler de lui à cause de ses rares échecs, tandis qu'une médecine alternative fera surtout parler d'elle à cause de ses rares succès...

Références

Mémoire présenté par l'Ordre des pharmaciens du Québec à la commission des Affaires sociales sur les thérapies alternatives, 8 février 1993.

AULAS, J.J., BARDELAY, G., ROYER, J.F. *Homéopathie, État actuel de l'évaluation clinique*, Paris: Éditions Frison-Roche, 1992. P. Vanier, *L'homéopathie*, Que sais-je?, Paris: P.U.F. 1965. M. Rouzé, *Mieux connaître l'homéopathie*, Paris: Éditions La Découverte, 1989.

AULAS, J.J., BARDELAY, G., ROYER, J.F., GAUTHIER, J.Y. *L'homéopathie. Approche historique et critique...* Paris: Éditions Roland Bettex, 1984.

CHEVALIER, R. «L'homéomagie», *Le Pharmacien*, juillet 1988 p. 36 à 37.

AULAS, J.J. *Les médecines douces des illusions qui guérissent*, Paris: Éditions Odile Jacob, 1993.

LABRECQUE, M. AUDET, D., LATULIPPE, L.G., DROUIN, J. «Homeopathic Treatment of Plantar Warts», *Canadian Medical Association Journal*, Vol. 146, No 10, 1992, p. 1749 à 1753.

BAILLARGEON, L., DROUIN, J., LEROUX, D., AUDET, D. «Les effets de l'Arnica Montana sur la coagulation sanguine», *Canadian Family Phisician*, 1993, Vol. 39, p. 2362 à 2367.

MAYAUX, M.J. *et al.*, «Controlled Clinical Trial of Homeopathy in Post-operative ILEUS», *The Lancet*, 5 mars 1988, p. 528 et 529.

5
Tout guérir avec une pilule

Gilles Bourbonnais

Prenez une goutte, une seule goutte, de lait de chienne et laissez-la tomber au milieu d'une mer. Vous venez d'obtenir trois cent mille milliards de litres du médicament que les homéopathes appellent Lac Caninum 9cH.

Cet extraordinaire médicament est censé guérir le rhume, la diphtérie, la mastite, les névralgies, les rhumatismes, la sciatalgie et, en prime, il favoriserait la sécrétion de lait chez la nourrice. Lac caninum est tout désigné lorsque les symptômes passent d'un côté à l'autre, migraines un jour d'un côté, un jour de l'autre, narines qui se bouchent alternativement, etc. Lac Caninum est également indiqué pour les femmes souffrant de règles en avance, abondantes, surtout si le tout s'accompagne de mal de gorge et que ces femmes sont excitées sexuellement en position assise ou en marchant. (Si, si, je vous le jure!)

Mais attention! Pour que Lac Caninum soit efficace, le patient doit présenter un profil psychologique bien précis. Lac Caninum s'adresse aux personnes tristes, qui craignent d'être seules, de mourir, de tomber dans l'escalier, aux personnes découragées et désespérées. Le patient-type a des absences, souffre d'hallucinations, croit être entouré de serpents ou rêve à des serpents, se réveille la nuit croyant avoir un serpent dans son lit et s'imagine qu'il porte quelqu'un sur son nez (?). En marchant, il lui semble être soulevé du sol. Couché, il lui semble qu'il ne touche pas le lit.

Et Lac Caninum n'est pas une exception: plusieurs autres médicaments proviennent de dilution de substances courantes tels que pois chiches (Lathyrus), vinaigre (Aceticum acidum), oignon (Allium cepa), ail (Allium sativum), avoine (Avena sativa), poudre de coquille d'huître (Calcarea carbonica), charbon de bois (Carbo vegetabilis), camomille (Chamomilla), mine de crayon (Graphites), marjolaine (Origanum), rhubarbe (Rheum), pissenlit (Taraxacum), safran (Crocus sativus) ou thym (Thymus serpyllum).

Puisque l'oignon peut irriter les yeux, on comprend la logique homéopathique – selon laquelle, rappelons-le, une substance occasionnant des symptômes chez une personne en santé soignera les malades présentant les mêmes symptômes – de l'utiliser dans les cas d'irritations oculaires. Mais pourquoi le prescrire pour les céphalées, la toux sèche, le mal de gorge, les nausées, les éternuements fréquents, les douleurs fantômes après amputation, la scarlatine et j'en passe? Qui peut bien ressentir ces symptômes après avoir mangé de l'oignon?

Dans certains cas, les homéopathes utilisent de fortes dilutions de substances pourtant naturellement abondantes dans notre corps. Par exemple, *Natrum muriaticum*, censé traiter plus d'une cinquantaine de maladies aussi diverses que l'amaigrissement, les cataractes, la dépression nerveuse, l'herpès, l'hépatite virale, les céphalées, les troubles cardiaques, le paludisme, le goitre, le psoriasis, les vertiges, les difficultés de concentration chez les étudiants surmenés, l'acné, et même la peur du noir chez les jeunes enfants. Il est efficace surtout si les troubles s'aggravent à 10 heures le matin, au bord de la mer, à la pleine Lune ou en se lavant à l'eau froide (???).

Pourtant, *Natrum muriaticum*, c'est du... sel de cuisine (NaCl). Dilué, évidemment. Et il faut voir les dilutions utilisées: notre salive est des milliards de fois plus concentrée en sel que ces granules!

D'autres exemples? Le chlorure de potassium (Kali muriaticum), autre sel abondant dans notre corps, le fer (Ferrum metallicum) abondant dans les muscles et le sang, l'iode (Iodum), l'acide lactique

(Lactic acidum), naturellement produit par nos muscles, l'acide chlorhydrique (Muriatic acidum) que notre estomac sécrète en abondance. Pourquoi notre organisme, qui contient naturellement ces substances, réagirait-il d'une façon particulière à l'absorption de quelques milliardièmes de milliardièmes de gramme?

Et que dire de ces préparations qui s'apparentent aux philtres des sorcières: araignées entières, crapaud, abeilles (Apis mellifica), mucosités de coquelucheux (Pertussin), scorpions (Prionurus australis), encre de seiche (Sepia), écrevisse (Astacus), sérum d'anguille, moelle de chien enragé (Hydrophobium), lysat de foie de lapin charbonneux (Anthracinum), autolysat de viande de bœuf, de porc et de placenta humain (Pyrogenium), pus blennorragique (Medorrinum)... On se félicite des hauts taux de dilution!

6

Tout guérir avec une fleur

Gilles Bourbonnais

Connaissez-vous les fleurs du Dr Bach? Rien à voir avec les musiciens. Elles fleurissent dans les boutiques d'aliments naturels. Elles sont prescrites par homéopathes, naturopathes, oligothérapeutes, iridologues et autres phytothérapeutes.

Ces remèdes floraux, dit-on, peuvent non seulement traiter à peu près n'importe quoi, mais sont également dépourvus de tout effet secondaire. La chose n'étonne guère puisque physiquement, ils ne contiennent rien d'autre qu'un mélange d'alcool et d'eau...

Cette thérapie a été mise au point par un médecin anglais, Edward Bach (1886-1936). Au début de sa carrière, le Dr Bach s'intéressa à la bactériologie, plus particulièrement à la composition de notre flore intestinale. Il énonça alors une théorie selon laquelle les maladies chroniques que la doctrine homéopathique associe à la gale seraient toujours liées à la présence, dans l'intestin, de bacilles incapables de fermenter le lactose. Et il entreprit de fabriquer des remèdes homéopathiques à partir de cultures de ces bacilles.

Le Dr Bach avait identifié sept groupes de bactéries coupables. Il en vint à faire correspondre ces sept groupes à sept types de personnalités. Et il commença à prescrire, non pas en fonction des symptômes du patient, mais en fonction de sa personnalité.

Quelques années plus tard, insatisfait des résultats, il eut l'intuition qu'il pouvait tout remplacer par des plantes, plus précisément par leurs fleurs. C'est ainsi qu'il mit au point 38 remèdes fabriqués à partir de 38 fleurs, chacune correspondant à une personnalité.

La santé selon Bach

Pour le Dr Bach, les symptômes physiques peuvent être ignorés, ils n'ont pas d'importance dans le traitement. «La pathologie corporelle n'est rien de plus que la résultante du conflit entre l'âme et l'esprit.»[*]

Ainsi, «l'orgueil, qui est arrogance et rigidité d'esprit, donnera naissance à ces maladies qui donnent au corps rigidité et raideur», «l'ignorance et le manque de sagesse ont pour conséquences la myopie, l'affaiblissement de la vue et de l'ouïe», «le cœur, fontaine de vie et partant d'amour, est attaqué spécialement quand le côté amour de l'humanité n'est pas développé ou mal appliqué», etc.[**]

D'où l'importance des fleurs: le Dr Bach devint convaincu qu'elles émettent des «vibrations» pouvant modifier la psyché. La fleur de muscade guérit «la peur de tout ce qui peut arriver de mauvais», la fleur de pommier sauvage «nettoie et purifie lorsqu'il y a un sentiment d'impureté», la fleur de marronnier rouge s'adresse à «ceux qui ne peuvent s'empêcher de tourmenter les autres», la moutarde fait des merveilles chez les personnes qui «sont sujettes à des accès de mélancolie et de désespoir», etc.[***]

Une des 38 essences ne doit bizarrement rien aux fleurs. Il s'agit de *Rock water*, tout simplement l'eau d'une source ou d'une fontaine réputée pour ses vertus curatives. *Rock water* s'adresse aux personnes strictes, dures et maîtresses d'elles-mêmes. (Eh oui, *rock*, roche, dureté, c'est pourtant évident!)

---

[*]   Bach, Edward. *Libère-toi toi-même*, cité dans *Les écrits originaux du Dr Bach*, p. 59.

[**]   Bach, Edward. *Guéris-toi toi-même* (texte publié en 1931), dans *La guérison par les fleurs*, Le Courrier du Livre, Paris, 1972, p. 32-33.

[***]   Bach, Edward. *Les douze «guérisseurs» et autres remèdes*, dans *La guérison par les fleurs*, Le Courrier du Livre, Paris, 1985.

Le Dr Bach se méfiait de la raison et de la science. Pour lui, seule l'intuition comptait. Dans sa recherche des vertus des fleurs, il ne se fiait qu'à son intuition. Dans une lettre datée de janvier 1934, il raconte sa découverte des vertus de la bruyère: «Je me suis levé et dirigé sur-le-champ vers une femme égocentrique et matérialiste au plus haut point, et je lui ai dit: à votre avis, quel est le plus beau spectacle au monde? Sans la moindre hésitation, elle répondit: les montagnes couvertes de bruyère».

Et c'est ce qui permit au Dr Bach de conclure que la fleur de bruyère agit sur les personnes égocentriques!

La fabrication des essences de fleurs

La technique est on ne peut plus simple. Il suffit d'emplir un bol de l'eau la plus pure possible, puis de recouvrir la surface avec les fleurs. On laisse le tout au soleil pendant trois ou quatre heures. Très important, le soleil, puisque ce sont ses rayons qui permettent le transfert à l'eau de «l'énergie vibratoire» des fleurs. Si un nuage passe, il faut tout recommencer.

On jette les fleurs, puis on filtre l'eau qu'on versera dans une bouteille contenant une part égale d'alcool. C'est sous cette forme que les essences de fleurs sont vendues dans le commerce. À 11,95 $ le flacon de 10 ml, on mesure la rentabilité (1200 $ le litre!).

Contrairement aux substances utilisées en phytothérapie, les essences de Bach ne prétendent pas contenir quoi que ce soit de la fleur: «Les élixirs floraux ne contiennent aucun extrait physique provenant de la fleur, aucune molécule. Les propriétés apportées par les fleurs, lors de la préparation, se situent à un niveau subtil, autre que le plan physique.»[*]

On se demande bien quel est ce niveau «subtil». Les tentatives d'explications ne manquent pas d'humour si on apprécie le jargon nouvelâgeux: «Chaque élixir floral est porteur d'une structure vibratoire particulière qui représente son essence... Lorsque l'élixir est

---

[*] Deroide, Philippe. *Élixirs floraux, harmonisants de l'âme*, Le Souffle d'Or, Barret-le-Bas, 1992, p. 24.

ingéré, sa fréquence énergétique entre en résonance avec celle du patient et induit le processus curatif.»

Ces explications pseudo scientifiques ne sont que des tentatives pour rationaliser l'irrationnel. On y adhère à la suite d'une série d'actes de foi: il faut croire en «l'énergie vitale» (concept abandonné depuis plus d'un siècle par la biologie), il faut croire que cette énergie se transfert des fleurs à l'eau, et il faut croire que cette énergie transférée agit sur la personnalité. La foi. C'est, comme pour tout bon placebo, le seul ingrédient actif dans les fleurs de Bach.

7

Tout guérir avec du «naturel»

Isabelle Burgun

Grâce au fluor, j'ai rapetissé de sept centimètres !

Témoignage «exclusif», *Facteur X*

La plupart des établissements d'alimentation naturelle ressemblent aujourd'hui davantage à des épiceries fines qu'à ces boutiques mystérieuses où régnait un vague fumet de sorcellerie... Les aliments «biologiques» sont invitants et colorés. Du côté de la médication santé, des étagères croulent sous les fioles, les pilules, les huiles essentielles. Produits et extraits de plante, recettes chinoises, traditionnelles, de bonne femme, orthodoxes... Il y a autant d'appartenance que de marques de commerce !

D'après la publicité, le vinaigre de cidre est efficace contre la migraine, le stress, les maux de gorge, le rhume, les démangeaisons, les douleurs musculaires, les inflammations, les coups de soleil... et même les champignons aux pieds. Selon sa brochure, le petit-lait soigne les affections du foie et de la peau, la goutte, les affections des voies digestives, en plus de régénérer les tissus et la circulation, de normaliser une trop haute tension... et de faire maigrir ! Le thé vert diminuerait les risques de cancer et de tumeurs du foie, du poumon, de la peau et du tube digestif. Le super-aliment concentré *Country Greens* renforcerait le sang et augmenterait l'immunité.

Camomille pour la digestion, lavande pour le surmenage, basilic pour le tonus, cyprès pour les jambes... On les retrouve en «biogranules», mélangeant extraits de plante et huiles essentielles. Contre les douleurs articulaires, buvez une combinaison de plantes (griffe du Diable, aubier de tilleul sauvage, feuilles de cassis, reine des prés...).

Personne ne nie que les plantes aient des vertus, mais ce qui est étrange, c'est de voir la diversité des vertus qu'on leur attribue. La camomille, par exemple, aiderait à digérer, à dormir, à lutter contre la migraine, à soigner les ulcères de la bouche...

La «supplémentation» a le vent en poupe, avec l'idée de remplacer un «mauvais» aliment par un «bon». Le risque, c'est de provoquer des carences, surtout chez les enfants: une publicité vante par exemple que 3 cuillères à thé (10 g) de poudre de *Spiruline Gandalf* d'Hawaï (diverses plantes déshydratées) donneraient autant de protéines qu'un œuf, autant de calcium que 85g de flétan, autant de fer que six artichauts et demi, autant de phosphore que six tasses et demie de chou vert râpé et autant de magnésium que deux betteraves et demie! Alors pourquoi dépenser de l'énergie à préparer des repas, alors que trois cuillères de poudre suffisent?

Les recettes santé des magazines

Ça ne s'arrête pas à l'alimentation. Le magazine *Vitalité Québec* présente un article qui nous conseille de stimuler notre système immunitaire en remplaçant la vaccination préventive par la consommation d'ail, d'extrait d'ail vieilli et d'astragale. Et ainsi prévenir la grippe, le rhume, les otites, les infections virales et bactériennes...

Dans le journal santé *L'émeraude* de novembre 96, l'article sur «L'Institut Hippocrate» – signé par la représentante montréalaise de cet institut! – annonce que pour 160 $ US par jour, vous aurez droit à un programme santé composé «d'un savant dosage d'aliments vivants riches en oxygène (chlorophylle) et enzymes, tels que le jus d'herbe de blé, germinations, légumes et fruits organiques...» Le plus alarmant est que l'article – et la publicité qui l'accompagne – vante des cures pour «inverser la gravité des maladies comme le cancer, la candidose, l'embonpoint, les MTS, le diabète, l'artériosclérose...»

En page 16, un article sur l'aromathérapie intitulé «De l'indigestion à la digestion sans indigestion», fait une prescription aux personnes souffrant de troubles gastriques: 40 gouttes d'huile essentielle (h.e.) de basilic, 35 g d'h.e. de citron, 13 g d'h.e. de marjolaine, etc. Rappelons que, contrairement aux croyances, les huiles essentielles peuvent être des poisons si on les utilise à tort, et qu'aucun effet curatif n'a été vérifié scientifiquement.

Jadis, c'étaient les recettes de grand-mère. Aujourd'hui, on leur affuble l'adjectif «naturel», «biologique» – mais à la différence de grand-mère, on fait payer. Peu importe que quelqu'un ait vérifié si ça marche: on veut y croire.

8

Tout guérir avec des cristaux

Michel Bellemare

J'ai toujours été fasciné par les pierres. Petit, je ramassais les plus belles pour ma collection. En outre, j'attribuais des pouvoirs magiques aux pierres blanches. Jusqu'à l'âge de huit ans, lorsque j'ai réalisé que, même les poches bourrées de «pierres magiques», ma dextérité aux billes n'était en rien augmentée...

J'aime toujours les pierres. Mais je déplore la tendance des boutiques spécialisées à remplacer des renseignements comme la densité, la dureté ou le lieu d'origine, par un galimatias ésotérique. Cela m'énerve de me faire dire que porter une pierre autour du cou va augmenter ma vitalité... ou ma virilité!

Cristal vient du mot grec *krystallos* qui veut dire «glace». Les Grecs croyaient que le cristal de quartz était de la glace fossilisée, devenue d'une extrême dureté. C'était en accord avec les observations qu'ils pouvaient faire à l'époque.

Depuis cette époque, nous avons beaucoup appris sur les minéraux... En particulier, qu'il ne faut pas se fier aux apparences. Mais les disciples du Nouvel âge n'ont pas retenu cette leçon, eux qui continuent de se fier à l'apparence des pierres pour en déduire leurs vertus.

Ainsi, les pierres rouges agissent sur le sang et peuvent donc guérir l'anémie, la leucémie, les troubles menstruels... ou le sida! Les pierres orangées réchauffent comme le feu et sont de mise pour les refroidissements, la fièvre, l'arthrite et les engelures. Les pierres blanches renforcent l'émail des dents et sont excellentes pour des problèmes de lactation chez la femme, ou de sperme chez l'homme.

Les lithothérapeutes oublient que l'apparence d'une pierre ne nous dit pas grand-chose sur sa composition ou sa structure interne. Le verre et le cristal de roche sont très semblables, et pourtant, l'un est composé de silice et l'autre de quartz. Le diamant et le graphite sont très différents – l'un est transparent et très dur, l'autre opaque, noir et tendre – et pourtant, les deux sont composés de carbone.

Encore «l'énergie»

Un des mythes les plus répandus des cristaux est qu'ils «vibrent». On nous donne pour exemple leur utilisation dans les montres au quartz. Cette croyance Nouvel âge résulte de l'incompréhension d'une caractéristique répandue chez de nombreux cristaux: l'effet piézo-électrique.

Cette propriété peut se résumer ainsi: lorsque le cristal (par exemple, le quartz) subit une pression, il développe une légère charge d'électricité statique à sa surface. Inversement, un courant électrique provoque une pulsation mécanique du cristal.

Autrement dit, le cristal à l'état naturel ne vibre pas. Il répond à un courant électrique extérieur par des pulsations mécaniques.

Faut-il ajouter qu'il est inutile de dépenser une fortune pour un «quartz générateur»? Lorsque vous vous promenez sur la plage, vous êtes entourés d'une tonne de minuscules cristaux de quartz. La taille du cristal ne change rien à sa composition ou à ses propriétés.

«Énergie» est de toutes façons un mot à la mode pour les nouvelâgistes. Selon eux, l'énergie émise par les cristaux serait si «subtile» qu'elle ne serait détectable par aucun appareil. Elle ne serait détectée... que par ceux qui y croient. Une façon bien facile de se mettre à l'abri de toute critique!

Références

WALKER, B. Cristaux: Mythes et réalités, Harper Collins, 1989.

Encyclopédie Microsoft Encarta 1997. *Piézo-électrique: effet*, Microsoft Corporation, 1993-1996.

BAER, Randall N. et BAER, Vicki V. *The Crystal Connection: a Guidebook for Personal and Planetary Ascension*, Harper and Row, New York, 1987.

Première parution: *Le Québec Sceptique*, printemps 1998.

9

Vous avez une chandelle dans l'oreille

Pascal Forget

Avez-vous déjà planté une bougie (allumée!) dans votre oreille? Bougie auriculaire, que ça s'appelle, et plusieurs naturopathes s'en sont fait une spécialité. Ce serait une méthode infaillible pour l'hygiène des oreilles – laquelle hygiène est, cela va sans dire, le seul moyen de contrebalancer notre mode de vie moderne qui n'est plus en équilibre avec la nature.

Mais une *bougie dans l'oreille?* L'idée semble incongrue.

Je suis donc allé à la boutique naturopathe située près de chez moi, accompagné de Donald, alors président des Sceptiques, et de Nathalie, son amie. Leur rôle était d'observer notre technicienne en bougie auriculaire, pour répéter le traitement lors d'un souper Sceptique, et de poser le maximum de questions. Je ne devais que garder mon sérieux pendant le traitement. J'avoue que ça n'a pas été facile.

L'importance du décorum...

On nous a conduits dans l'arrière-boutique où se trouvent une petite salle d'attente. Mme St-Denis est arrivée avec quelques minutes de retard et nous a fait entrer dans son bureau, qui ressemble à un «vrai» bureau de médecin. Sur le mur, une affiche indique les points d'acupuncture de l'oreille. De nombreux certificats et diplômes (dont un en bougie auriculaire) sont affichés sur les murs, de même que toutes les attestations d'appartenance à l'Ordre des naturothérapeutes de 1990 à aujourd'hui. C'est un peu comme si un chauffeur de taxi, pour vous rassurer sur ses talents de conducteur, accrochait à son rétroviseur tous ses anciens permis de conduire.

Il ne faut pas oublier non plus le stéthoscope accroché à l'un des diplômes. Mme St-Denis a eu bien du mal à en expliquer la présence ; elle nous a dit que de vrais médecins viennent parfois faire des examens dans son bureau.

Quelques questions générales sur mon état de santé, signature de quelques formulaires, et elle m'invite à m'allonger sur le côté pour commencer le traitement. Sans examen, sans même me demander pourquoi je désire un traitement ! D'abord surprise de ma surprise – je lui explique que je pensais qu'elle me regarderait au moins les oreilles – elle me demande alors, avec un soupir, pourquoi je viens la voir. Elle me regarde les oreilles avec un otoscope, poussant de temps en temps des ho ! et des ha ! comme si elle découvrait toute sorte de choses effrayantes. Elle me dit que j'ai les oreilles sèches, des rougeurs, une petite tache blanche au fond de l'oreille (peut-être une petite otite...) et que le traitement va m'aider.

Je suis allongé sur le côté. Elle me verse ce qui me semble être un demi-litre d'un mélange d'huiles essentielles dans l'oreille, qu'elle a d'abord recouverte d'un drap percé. (J'espère qu'elle n'oublie pas trop souvent de faire un examen préalable... Je n'ose penser à ce qui me serait arrivé si j'avais eu une perforation du tympan !)

Pour stimuler mes «points d'énergie» pendant que l'huile accomplit ce qu'elle est censée accomplir, elle me masse le tour de l'oreille. Le massage descend jusque dans la base du cou, où elle me trouve des vertèbres subluxées, «ce qui ajoutait à la pression dans les oreilles». J'avoue que c'est bien agréable, mais je me serais bien passé de la publicité gratuite sur les autres services (acupuncture et chiropractie) qu'elle semble me recommander...

Vient le moment d'allumer la bougie. Juste avant, elle se recouvre le visage d'un masque «pour se protéger des vapeurs, car elle fait ça à longueur de journée». Pas le petit masque de tissu de type médical, mais un modèle «de luxe», avec des valves, comme ceux utilisés au cours de la Seconde Guerre mondiale! Je me demande immédiatement: si ELLE a besoin d'un masque aussi sophistiqué, pourquoi je n'en ai pas un, moi? Mes craintes se dissipent quand, un peu gênée par nos questions, elle l'enlève pour ne plus le remettre...

Et puis je me retrouve avec la bougie allumée dans l'oreille. Un léger grésillement se fait entendre. J'ai l'impression de toute façon d'entendre du fond d'une piscine, tant j'ai de l'huile dans les oreilles. La chandelle brûle pendant ce qui me semble être une quinzaine de minutes. Ensuite, Mme St-Denis me retire les dépôts de cire avec un instrument de type chirurgical.

L'oreille éprouvette

Le bouquet du traitement survient lorsque la base de la bougie est découpée pour exhiber la quantité de cérumen retirée. Car, j'en suis témoin, il y a effectivement une petite quantité de cire: une moitié jaune pâle, l'autre plus foncée. La naturopathe m'affirme le plus sérieusement du monde que la cire pâle vient de la bougie, mais que la foncée est ce qui a été *aspiré* de mon oreille.

En bons sceptiques, nous avons voulu vérifier lors du souper consacré à notre aventure. Nous avons fait brûler une bougie auriculaire dans une éprouvette contenant un peu d'huile essentielle... Après la combustion, nous avons trouvé dans l'éprouvette une petite quantité de cire foncée!

Je me permet, de toutes façons, de douter que «l'effet de cheminée» d'une petite bougie auriculaire soit suffisant pour aspirer des bouchons de cérumen. Nous avions chez nous un gros foyer, et je n'ai jamais vu une bûche aspirée par la cheminée! De plus, le peu de chaleur ressentie me semble bien insuffisant pour ramollir le cérumen. Comme l'expérience avec l'éprouvette l'indique, les «bouchons de cérumen» de grosseur variable récoltés après les traitements ne sont que la cire de la bougie. La température et la ventilation (si la bougie est plus ou moins enfoncée dans l'oreille, par exemple) influencent la combustion. Les bougies, qui ne sont pas toutes parfaites, contiennent des quantités de cire légèrement différentes d'une à l'autre. Dans ces conditions, il est normal que les dépôts laissés par les bougies soient de grosseur différente, tout comme, d'ailleurs, la quantité de cérumen d'une personne à l'autre...

Lors d'un traitement, dit-on, il faut toujours traiter les deux côtés «pour ne pas se déséquilibrer». Quand la première bougie s'est éteinte, Mme St-Denis m'a donc demandé de me retourner pour procéder au traitement de l'autre oreille, pendant que l'huile en trop s'écoulerait de la première. J'ai alors réalisé avec un certain dégoût que ma tête reposait sur un coussin qui avait absorbé les écoulements huileux de je ne sais combien de clients, et que seul un petit drap de coton m'en séparait.

Le calme et la détente sont recommandés lors du traitement. Cela n'a pas empêché Mme St-Denis de répondre au téléphone pendant le traitement de ma deuxième oreille. Je n'ai pas trouvé très relaxant de l'entendre discuter allègrement d'un rendez-vous pour son émission de radio pendant qu'elle tenait une chandelle allumée dans mon oreille!

En plus de l'appel, elle n'a pas arrêté non plus de répondre aux questions de Donald et de Nathalie. J'ai noté quelques perles parmi ses explications: «Le cérumen est une hormone», «Les huiles essentielles dans les oreilles affectent les *pacemakers*, car elles concentrent les énergies électromagnétiques»...

La facture

Le traitement a coûté 30 $ et doit, selon Mme St-Denis, être répété chaque année. «Ceux qui recommandent de le faire plus souvent sont des charlatans.» Les bougies sont aussi en vente, au coût de 18 $ pour 6. Or, pourquoi payer pour ça? Un médecin ou un ORL (oto-rhino-laryngologiste) émettra un diagnostic et retirera *gratuitement* les bouchons de cérumen, *seulement si c'est nécessaire*.

N'oublions pas que notre adepte des médecines douces n'a pas cru bon de m'examiner pour vérifier si j'avais besoin du traitement... Toujours sous le prétexte que les médecines douces, ça ne fait pas mal, de toutes façons! Moi, je dirais plutôt qu'au mieux, ça ne fait strictement rien, et qu'au pire, ça peut faire drôlement mal: car en contactant M. Ahmarani, de l'Association des ORL, nous avons appris que son association avait pris position dans le dossier. Il affirme qu'au Québec, «à peu près tous les ORL ont reçu des cas de perforation de tympan ou de blessures reliées à l'utilisation de bougies auriculaires». Il m'a d'ailleurs examiné l'oreille et n'y a absolument rien trouvé d'anormal, pas même de possibilité d'infection, comme l'avait mentionnée Mme St-Denis.

Nathalie, Donald et moi avons beaucoup ri avant le traitement, et j'ai eu beaucoup de difficulté à ne pas rire, couché sur la table, transformé en bougeoir humain. Mais un étrange malaise nous a pris en sortant de la boutique. Nous ne pouvions que penser aux pauvres gens qui sont des victimes consentantes de cette escroquerie...

J'ai marché pour me rendre chez moi, les oreilles encore dégoulinantes d'huiles essentielles, et bouchées par des bouts d'ouate. Mme St-Denis m'a dit que le traitement laisse les oreilles dilatées. Elle m'a donc recommandé d'éviter les courants d'air et de ne pas prendre de douche avant le lendemain, «pour éviter d'attraper une grosse grippe».

Ben quoi? Vous ne saviez pas que la grippe s'attrape par les oreilles?!

10

L'acupuncture: quelques réflexions

Pierre Lévesque, M.D.

L'acupuncture est une partie de la médecine traditionnelle chinoise. Vieille d'environ 5000 ans, elle forme le plus vieux corps de pratique médicale structuré du monde. Pas nécessairement dénuée d'effets, comme nous le verrons plus loin, elle illustre la différence entre une médecine folklorique et une médecine traditionnelle.

Dans une médecine folklorique, le processus de soin est simplement transmis de personne à personne. La médecine traditionnelle, de son côté, repose sur une pratique institutionnalisée et régularisée. Les praticiens ont des textes communs qu'ils acceptent comme sources de connaissances.

La médecine traditionnelle chinoise repose, entre autres, sur le *Traité de médecine de Huang Di ou l'Empereur Jaune* (2600 ans av. J.-C.) qui établit la dualité des forces opposées du yin et du yang, et le *Traité de Nei-Ching* (2006 av. J.-C.) qui établit les endroits d'interconnexion entre les organes internes et la peau, base de l'acupuncture.

Cette médecine traditionnelle s'inscrit dans la vision chinoise de l'univers: les processus dynamiques y sont décrits comme étant sous l'influence de deux forces opposées de l'énergie, le yin et le yang.

Au sein de l'organisme humain, le yin et le yang sont les deux forces opposées du *Qi* ou *Chi*. Le *Qi* («souffle divin») est «l'énergie vitale» qui circule dans le corps le long de canaux appelés **méridiens**. Au nombre de 12 ou 14 (Les acupuncteurs ne s'entendent pas là-dessus!) de chaque côté du corps, les méridiens sont invisibles et immatériels. On affirme qu'ils affleurent à la surface en certains points, et ce sont ces points que recherchent les acupuncteurs.

Chez la personne en bonne santé, l'énergie – le *Qi* – circule librement et harmonieusement à l'intérieur des méridiens. Chez la personne malade, l'énergie est obstruée. Le but de la thérapie est donc de faire en sorte qu'elle circule à nouveau.

Les méridiens ne correspondent à aucune structure anatomique. Ils n'ont pas de relation avec la distribution des nerfs ou du sang. Mais même si leur existence n'a jamais été démontrée, les méridiens constituent une base incontournable de la médecine traditionnelle chinoise.

Le monde de l'acupuncture est un monde confus. Le nombre et la localisation des méridiens varient de 365 à 2000, de même que leur localisation change d'une carte d'acupuncture à l'autre. Le type d'aiguilles et leur technique d'implantation varient, les techniques de stimulation des points varient... Il est alors facile d'imaginer à quel point l'évaluation objective de l'acupuncture peut être difficile.

L'acupuncture et la science

À la base, les *Qi*, yin, yang et méridiens sont des entités immatérielles. Ils constituent donc une croyance et ne sont pas démontrables scientifiquement. Par contre, à partir du moment où on leur attribue une interaction avec le monde physique, ils tombent bel et bien dans le champ de compétence de la science. Si la science ne peut pas démontrer que l'implantation d'aiguilles peut «débloquer» une mythique énergie, en revanche elle peut vérifier si cela a soulagé le malade.

Quel type de soulagement? Eh bien, la réputation de l'acupuncture en Occident est toujours basée sur son efficacité présumée dans le soulagement des douleurs et sur ses propriétés anesthésiques. Les «preuves» sont présentées généralement sous la forme de témoignages et d'études non contrôlées portant sur un petit nombre de sujets. Il semble que plus la qualité méthodologique de l'étude soit élevée, moins les résultats favorables à l'acupuncture soient probants.

Par contre, la majorité des auteurs s'entend sur le fait que l'acupuncture pourrait offrir un certain bénéfice à court terme dans le cas de la douleur. On a, par exemple, constaté que le fait de planter une aiguille provoque la libération d'endorphines, une substance antidouleur sécrétée par notre système nerveux. Les endorphines agissent aussi, dans notre cerveau, sur le siège des émotions euphorisantes. Enfin, elles modulent l'action des systèmes qui contrôlent notre respiration et notre rythme cardiaque.

Il existe cependant d'autres stratégies pour arriver aux mêmes effets: l'acupression, les massages et l'exercice physique, par exemple.

Il y a plus grave pour l'acupuncture: des études ont été réalisées dans le but de vérifier si l'insertion des aiguilles aux points «classiques» avait des effets différents de l'insertion d'aiguilles au hasard. Les résultats tendent à démontrer que le choix des points n'a aucune importance!

Appel à l'histoire

L'ancienneté d'une théorie n'a jamais été une garantie de sa véracité. La théorie des humeurs a persisté en Occident pendant près de 2000 ans avant d'être abandonnée au début du XIXe siècle.

Quant à l'acupuncture, les partisans de son «ancienneté» oublient de signaler qu'elle avait été bannie en Chine en 1822, parce qu'elle constituait un «obstacle au progrès de la médecine». Sa réhabilitation a eu lieu au début du règne du Parti communiste sous la direction de Mao Tsé-Toung. Après la révolution, le système de santé chinois était à ce point décimé qu'on avait dû recourir aux praticiens de la médecine traditionnelle pour combler le vide. Mais laisser croire que «les Chinois utilisent l'acupuncture» est un mythe savamment entretenu en Occident. En réalité, à peine 15 à 18% de la médecine pratiquée en Chine relève de la médecine traditionnelle. Sur les 36 périodiques majeurs publiés par l'Association médicale chinoise, aucun n'est consacré exclusivement à l'acupuncture ou à l'herbothérapie.

Les risques de l'acupuncture

L'acupuncture est une technique invasive qui comporte des risques pour le malade. Des complications parfois sérieuses liées à l'implantation d'aiguilles ont été rapportées. Une étude réalisée en Norvège a révélé que 12% des médecins de ce pays et 31% des acupuncteurs en avaient été témoins. Parmi les complications, des cas de pneumothorax, de traumatismes neurologiques, d'infections locales aux endroits d'insertion, et même d'hépatite B.

La pratique de l'acupuncture a été légalisée au Québec en 1985 par un mandat confié à la Corporation professionnelle des médecins du Québec. La CPMQ tenait le registre des acupuncteurs et répertoriait les praticiens médecins et non-médecins autorisés à pratiquer cette activité alternative. Depuis juillet 1995, la pratique de l'acupuncture est régie par une corporation professionnelle indépendante, inscrite à l'Ordre des professions. Tout individu non-médecin qui veut pratiquer légalement l'acupuncture dans la province doit y être inscrit.

Références

National Council Against Health Fraud. *Position Paper on Acupuncture* (16 septembre 1990), http://www.primenet.com/~ncahf/pos-pap/acupunct.html

Speroff, L., Glass, R.H. et Kase, N.G. *Neuroendocrinology in Clinical Gynecologic Endocrinology and Infertility*, 5ᵉ édition, Williams & Wilkins, Baltimore, 1994, p. 155-156.

Vincent, C.A. et Richardson, P.H. «The Evaluation of Therapeutic Acupuncture: Concepts and Methods», *Pain*, 1986, nᵒ 24, p. 1-13.

National Council Against Health Fraud, *Healing and the Mind*, http://www.primenet.com/~ncahf/media/mercnews.html (14-10-96).

NORHEIM, A.J. et FONNEBO, V. «Adverse Effects of Acupuncture», *Lancet*, 1995, n° 345, p. 1576.

À lire aussi:

«Acupuncture», Grolier 1996 Multimedia Encyclopedia, Grolier Electronic Publishing.

SHANG, C. *The Mechanism of Acupuncture*, http://www.acupuncture.com/Acup/Mech.htm (14-10-96).

HUSTON, P. et FRIED, G. «China, Chi, and Chicanery Examining Traditional Chinese Medicine and Chi Theory», *Skeptical Inquirer*, septembre 1995. http://www.csicop.org/si/9509/chi.html

11

«Vous vous sentez détendu...»

Luc Dupont et Pascal Lapointe
Agence Science-Presse

Doit-on donner foi aux récits de gens qui proclament que, sous hypnose, ils ont pu revivre leur enfance? Même les experts en hypnose ne sont pas d'accord...

«Vous vous sentez détendu... Vos paupières sont lourdes... Je vais compter jusqu'à cinq, et vous serez de retour chez vous quand vous aviez cinq ans.» Que se passe-t-il après ces paroles répétées telles des incantations? Eh bien! Pour certains hypnotiseurs, y compris des professeurs d'université et des étudiants au doctorat qui planchent là-dessus depuis des décennies, il se crée alors un passage vers un «état altéré» de la conscience. L'hypnose plongerait l'individu dans ce qu'on appelle une transe, et cette transe lui permettrait d'utiliser son cerveau d'une façon différente. C'est là l'hypothèse classique, celle qui se retrouve notamment dans tous les manuels d'ésotérisme.

Il y a d'autres hypothèses, avancées, par exemple, par les associations de sceptiques, mais également défendues par des hypnotiseurs, y compris, là aussi, des chercheurs universitaires. Pour Graham Wagstaff par exemple, psychologue à l'Université de Liverpool, en Grande-Bretagne, l'hypnose ne ferait rien de plus que de stimuler chez l'individu sa capacité à imaginer. Si, de surcroît, cette personne est facile à influencer, et du genre à se soumettre à l'autorité, le tour est joué. Il devient très facile de la convaincre d'être en transe ou de revivre une scène du passé; c'est ce qu'on appelle l'autosuggestion.

Des expériences menées à Montréal ont conduit à un article publié en 1997 par la prestigieuse revue *Science*: on peut y lire qu'il est très facile de convaincre une personne que l'eau dans laquelle on lui a fait placer sa main est plus chaude qu'elle ne l'est en réalité. On sait désormais que cela se traduit par des réactions physiologiques (au niveau du flux sanguin) bien réelles que les appareils médicaux peuvent mesurer.

Mais, même si l'on devait un jour démontrer que tout cela ne se passe que dans la tête, il est d'un autre côté acquis que l'hypnose peut avoir des effets bénéfiques. Pour Michael R. Nash, psychanalyste et professeur à l'Université du Tennessee, l'un des spécialistes mondiaux en la matière, l'efficacité de l'hypnose ne fait pas de doute pour des maladies telles l'asthme, les désordres gastro-intestinaux et les chocs post-traumatiques. À condition qu'on ne base pas tout sur elle.

«Rarement l'hypnose est-elle utilisée comme la seule forme de traitement avec un patient», souligne-t-il toutefois. L'hypnose est une technique complémentaire. Michael Nash dit l'utiliser avec 20% de ses patients: tout est fonction du mal et de la réceptivité de l'individu aux techniques de suggestion.

Oubliez les pendules

Comment se passe une séance d'hypnotisme? Oubliez les pendules oscillant devant les yeux des patients. «Cent ans et plus de recherches ont démontré que ces talismans n'étaient absolument pas nécessaires. Tout repose sur le «contact interpersonnel» (patient-psychologue) et sur les mécanismes et techniques de «suggestion».

C'est également sur la notion de suggestion, et plus précisément d'autosuggestion, qu'insiste Rachel Marquis, du Centre des grands brûlés de l'Hôtel-Dieu de Montréal, lorsqu'elle parle de l'hypnose comme d'une technique «parmi d'autres» pour combattre la douleur. Elle relate le cas d'un patient de 25 ans, gravement brûlé, pour qui chaque injection constituait un véritable martyre. Après avoir utilisé des techniques de relaxation, le Dr Marquis lui demanda de raconter un événement particulièrement mémorable. Il se mit donc à lui parler d'une partie de golf dont il avait gardé un vif souvenir: au fur et à mesure que son récit progressait, le patient s'enthousiasmait et revivait dans les détails sa performance de cette journée-là. Il parla ainsi pendant 20 minutes et, une fois le tout terminé, s'aperçut qu'on lui avait donné l'injection!

L'hypnose n'est pas une thérapie

Longtemps reléguée dans l'ombre par la popularité de Freud, l'hypnose en psychothérapie est réapparue en force lors de la Deuxième Guerre mondiale, après qu'on se fut rendu compte qu'elle aidait les soldats à libérer des terreurs intenses refoulées – ce qu'on appelle dans le jargon psychiatrique «le choc post-traumatique».

Cela n'en fait pas pour autant une thérapie, «mais une technique. Cependant elle peut être, et elle l'est effectivement, incorporée à d'autres types de thérapie», précise encore Michael Nash.

Par ailleurs, l'hypnose est de plus en plus l'objet de recherches quant à ses effets – parfois néfastes – sur la mémoire: c'est le phénomène, tristement célèbre, des «faux souvenirs». Kevin M. McConkey, de l'Université australienne South of Wales, a ainsi étudié des personnes qui dénoncent un prétendu abuseur sexuel des années après le fait, suite à un recours à l'hypnose. Selon lui, les recherches «montrent clairement que l'utilisation d'une technique telle que l'hypnose peut conduire à des changements majeurs dans les éléments de mémoire rapportés par un individu». Chose étonnante par contre: le chercheur ne condamne pas la création délibérée, par le thérapeute, de faux souvenirs ou de pseudo souvenirs. Dans des cas bien précis, la pseudo mémoire pourrait guérir des patients de traumatismes graves, en «remplaçant» les souvenirs douloureux par des images qui, même fausses, sont plus acceptables pour l'équilibre psychique.

Première parution: *Hebdo-Science*, 20 octobre 1998.

12

La «mafia Lanctôt»

Georges-André Tessier

> Avoir le sens critique, c'est déclarer en trois lignes qu'une pièce ou qu'un livre est admirable – mais c'est avoir besoin d'une colonne entière de journal pour expliquer qu'une chose est mauvaise.
>
> Sacha Guitry, *Cent Merveilles*

La Mafia médicale, un ouvrage signé par le Dr Guylaine Lanctôt, est vite devenu un *best-seller*. Mis en orbite par un article très favorable paru dans un grand quotidien montréalais le 13 novembre 1994, il a bénéficié d'une énorme attention dans les mois qui ont suivi. Son succès a été favorisé par le fait que Mme Lanctôt est médecin, dûment diplômée de l'Université de Montréal, et habile femme d'affaires. Sa critique du système médical rejoint un courant de pensée à la mode. Elle a créé l'illusion qu'elle «osait dire ce que bien des gens pensaient».

Malheureusement, c'était une illusion. Le contenu du livre déborde d'incohérences et de contradictions... que les critiques légitimes du «système» ont masqué aux yeux de bien des lecteurs. Il y aurait pourtant eu des façons très simples d'en décoder le contenu dès le premier jour. Nous vous en proposons une.

* * *

Parmi les rares qualités de l'ouvrage, il faut d'abord accorder à son auteur d'avoir, tout au début du prologue, formulé la méthode de recherche à l'origine de ses «découvertes». Mme Lanctôt explique que le domaine qu'elle nous invite à explorer ne sera pas compris avec la «logique» du cerveau, mais avec «l'intuition».

L'auteur de *La Mafia médicale* précise que, si l'on veut vérifier la véracité de ses conclusions, il ne faut pas chercher «les preuves, les références, les chiffres...» Elle nous avoue candidement que nous n'en trouverons pas dans son ouvrage. Elle propose les titres de plusieurs ouvrages... mais admet ne pas les avoir lus!

«Certains, je les ai lus de bout en bout; d'autres, je les ai seulement feuilletés; d'autres enfin, je ne les ai pas lus du tout. Ça n'a pas d'importance...»

Signalons que, pour un livre qui prétend dénoncer science et médecine tout d'un bloc, c'est un bien mauvais départ.

Comme critère de validité, Mme Lanctôt nous propose plutôt ce qu'elle appelle la «voix intérieure» qui loge dans «votre moi profond». Plus loin, elle invite carrément ses lecteurs à «faire taire leur raison»! Faire taire sa raison au profit de sa «voix intérieure»: n'y a-t-il pas danger de s'enfermer dans ses propres préjugés?

Rappelons, incidemment, que c'est en faisant taire leur raison et en n'écoutant que leur «voix intérieure» que les Inquisiteurs ont refusé de considérer les mesures de Galilée prouvant le mouvement de la Terre autour du Soleil; que l'Église anglicane a longtemps refusé de reconnaître la justesse des raisonnements de Charles Darwin; et que les nazis ont cherché à faire la preuve de l'infériorité de certains groupes. Les préjugés ont la vie dure. Seules la raison et l'observation impartiale des faits permettent parfois d'en venir à bout.

Ingrédient n° 1: la révélation

En prenant connaissance de l'ouvrage de Mme Lanctôt, nous avons également reconnu un autre mode d'appréhension du réel: la révélation. En effet, l'auteur adhère à la croyance suivant laquelle nous sommes, en plus de notre corps physique, pourvus de quatre corps invisibles. Chacun de ces corps serait caractérisé par des «vibrations» dont la fréquence et la masse fluctuent suivant leur proximité avec l'Esprit divin...

Ces vibrations, Mme Lanctôt nous précise que nous ne pouvons ni les voir ni les toucher, et qu'aucun appareil de mesure ne permet de les enregistrer! Si elle connaît leur existence, c'est par l'entremise de voyantes qui ont la faculté «de voir ou de sentir les vibrations des corps et de l'âme, au point de pouvoir les décrire et les quantifier». Mais pourquoi ces voyantes et non d'autres? Après tout, c'est en se fiant un peu trop à ses «intuitions» que Luc Jouret est parti vers l'étoile Sirius en entraînant dans la mort plus de 50 personnes...

Ingrédient n° 2: une part de vérité

L'ouvrage de Guylaine Lanctôt n'est pas seulement un jardin d'imaginaire. L'auteur formule des constats très justes sur les coûts prohibitifs des services de santé et sur le caractère déshumanisant de la pratique médicale. Elle reproche à celle-ci d'être une médecine de maladie. Elle remet en question les mobiles véritables de certains acteurs du secteur de la santé, comme les politiciens, les sociétés pharmaceutiques et les syndicats professionnels dont la compassion et le désintéressement ont, effectivement, été déjà pris en défaut. Elle fait aussi d'autres observations valables sur l'hygiène physique et psychologique dans l'approche préventive de la maladie et sur le rôle néfaste de la pauvreté et de la pollution.

Ces quelques vérités lui permettent d'emblée de se gagner un public fidèle qui partage avec elle ce désarroi face à la société moderne. Et c'est à partir de là qu'elle ajoute ses constructions mentales. Une bonne partie de ses lecteurs ne seront jamais conscients du glissement et ne verront en elle qu'une rebelle luttant contre l'*establishment*.

Parmi la masse des auteurs farfelus ou paranoïaques qu'elle cite, Mme Lanctôt se réfère aussi à des auteurs sérieux. C'est le cas par exemple d'Ivan Illich, qui a publié en 1975 un essai critique sur l'institution médicale. Lanctôt reprend à son compte l'une des thèses du célèbre essayiste, suivant laquelle, dans les sociétés industrielles, la médecine nuit à la santé. Cependant, elle déforme complètement la thèse d'Illich pour la détourner au profit de sa propre théorie.

En effet, si Illich observe que, dans certaines circonstances, la médecine nuit à la santé, il y voit une conséquence malheureuse des services publics, à l'intérieur d'une société de production en série. Illich est pleinement conscient de la complexité des organisations qu'il critique, et de l'emprise limitée des dirigeants d'hôpitaux ou des chefs politiques.

Tout au contraire, Lanctôt considère que les dirigeants sont conscients et tout-puissants, et que l'institution médicale nuit sciemment à la santé des citoyens dans le but de leur vendre ensuite des services et des médicaments. Elle y voit l'objet d'un complot ourdi par la «mafia médicale».

Ingrédient n° 3: l'explication simple et globale

L'industrie pharmaceutique ne se contenterait pas de nous vendre des médicaments inefficaces, mais elle s'efforcerait même de retirer les bons remèdes du marché. Pire encore, elle chercherait à développer des médicaments conçus pour provoquer des effets secondaires qui rendront les patients plus malades.

Qui plus est, la grande industrie piloterait les gouvernements pour qu'ils maintiennent la population dans la pauvreté. Parce que les gens plus pauvres ont davantage de chances d'être malades et que les gens malades consomment plus de médicaments...

Or, cet énoncé est en contradiction avec la proposition précédente, à l'effet que les sociétés cherchent à faire de l'argent. En effet, il ne serait pas avantageux pour la grande industrie d'appauvrir ses clients... puisqu'ils ne pourraient plus se payer les médicaments qu'elle vend!

C'est également pour répondre à la commande de la grande industrie pharmaceutique que les gouvernements négligeraient de légiférer en matière de pollution et en matière agro-alimentaire.

En fait, tout le monde est dans le coup: la grande industrie serait parvenue, par des pots-de-vin, à s'assurer le silence ou le mensonge des élus (p. 87), des fonctionnaires (p. 92), des corporations professionnelles et des dirigeants d'hôpitaux (p. 86), des facultés de médecine (p. 86), des scientifiques et des chercheurs, des médias et des organismes de charité (p. 151), de l'Organisation mondiale de la santé (p. 89), de l'ONU et de la CIA (p. 126 et 139)!

Voilà qui fait beaucoup, beaucoup, beaucoup de complices!

Quant à la vaccination, elle est évidemment conçue, elle aussi, pour propager la maladie. L'auteur expose la liste des complications bien documentées (réactions allergiques, infections, etc.) qui peuvent effectivement survenir à la suite d'une vaccination. Mais elle part de là pour évoquer des problèmes de santé à long terme, comme les troubles d'apprentissage chez les enfants, et des mutations génétiques qu'elle sort on ne sait d'où.

«Voulons-nous attendre de constater l'apparition d'ailes de poulet sur nos petits enfants pour commencer à nous poser des questions sur les bienfaits de la vaccination?»

La vaccination serait également la cause de la violence urbaine: «cette vague de violence sociale et de crimes perpétrés par des "personnalités sociopathes" créées par les vaccins.»

Pour Lanctôt, la vaccination est une arme biologique servant à «l'extermination des minorités dérangeantes». Ce serait la raison pour laquelle certaines populations sont ciblées par les campagnes de vaccination. Pourquoi a-t-on procédé en 1993 à une campagne de vaccination contre la méningite à l'intention des jeunes Québécois? «Comme les autochtones, le peuple québécois est dérangeant: il tient à sa différence et réclame sa souveraineté.» Et voilà, ça n'est pas plus compliqué que ça!

Incidemment, les dinosaures se sont-ils éteints il y a 65 millions d'années, à la suite d'une irresponsable campagne de vaccination?

D'un délire à l'autre

Le sida, on l'aura deviné, est pour l'auteur une conséquence des campagnes de vaccination, et préméditée de surcroît. Elle se contredit toutefois lorsqu'elle désigne plus loin comme cause du sida des facteurs tels que les médicaments, les vaccins, la pollution, la malnutrition, la débauche et la peur...

Ah oui, la rage n'existe pas, elle non plus, et Louis Pasteur, qui réalisa le vaccin contre la rage, était «un tricheur, un menteur et un voleur».

Il est impossible de faire le tour de tous les embranchements de cette conspiration que Mme Lanctôt croit avoir mise à jour. Il n'est pas davantage possible de critiquer tous les emprunts qu'elle fait à des théories à la mode dans les milieux ésotériques et les groupes d'extrême-droite. On ne peut s'attendre à ce que chaque lecteur décode cet embrouillamini, mais il nous semble regrettable que certains parmi les plus expérimentés de ces lecteurs n'aient pas repéré ces «ingrédients» pourtant si typiques, même à une lecture sommaire.

Mme Lanctôt est probablement de bonne foi. Mais les découvertes qu'elle croit avoir faites ne sont pas le résultat d'une enquête ou d'une recherche rigoureuse. Ses conclusions sont des constructions imaginaires répondant à des besoins personnels et rappelant ceux d'une personne dépressive en proie à un sentiment de persécution.

13

Origines *nouvelâgeuses* des thérapies alternatives

Yves Casgrain
Directeur de la recherche, Info-Secte

> Une fausse couche... peut avoir été provoquée par l'âme
> du bébé qui a changé d'idée dans son choix de parents.
>
> Lise Bourbeau, *Qui es-tu?* (1987)

Chaque année, les permanents d'Info-Secte reçoivent des centaines d'appels téléphoniques de gens inquiets des changements troublants de la personnalité d'un proche qui suit les directives d'un gourou ou d'un thérapeute. Les appels concernant le cheminement erratique d'un client d'une thérapie alternative sont en augmentation constante.

Ces thérapies alternatives s'inspirent bien souvent d'un courant de pensée qu'on nomme Nouvel âge. Comme son nom l'indique, ce courant croit que l'histoire de l'Humanité est marquée par différents âges qui se succèdent les uns aux autres. Notre époque serait celle du Poisson. Cette dernière aurait débuté à la naissance de Jésus-Christ. Avec l'arrivée de l'an 2000, cette ère serait sur le point de laisser sa place à celle du Verseau. Les adeptes de l'Ère du Verseau, ou Nouvel âge, croient que ce temps nouveau verra apparaître des changements profonds dans toutes les sphères d'activités.

Cette ère nouvelle et paradisiaque est encore à venir. Cependant, aujourd'hui même, des hommes et des femmes, que Marylin Ferguson (ancienne journaliste qui, la première, donna corps à cette théorie) nomme les «Conspirateurs du Verseau», sont à l'œuvre. Ils se retrouvent dans toutes les disciplines (sciences humaines, pures, sociales et politiques), dans la spiritualité et dans la médecine.

Ces personnes veulent toucher un nombre critique de gens afin que ceux-ci accélèrent le passage à l'Ère du Verseau, ou Nouvel âge. Le domaine de la santé est un de leurs principaux champs d'intervention.

Invasion en santé

Le maître mot de cette intervention en santé est l'adjectif «holiste» ou «holistique». Marilyn Ferguson écrit que «lorsque cet adjectif est appliqué convenablement aux soins de santé, il renvoie à une approche... qui respecte l'interaction de la psyché, du corps et de l'environnement... Elle cherche à résoudre le manque d'harmonie». La médecine holistique prétend traiter le patient dans son ensemble au lieu de le compartimenter, comme le ferait, selon elle, la médecine traditionnelle.

Les thérapeutes alternatifs vont considérer la douleur et la maladie comme la conséquence d'une «désharmonisation intérieure» vécue par leur client. Ils considèrent le corps comme un champ d'énergie à l'intérieur d'autres champs d'énergie. Marilyn Ferguson va jusqu'à affirmer que toute maladie, que ce soit un cancer, la schizophrénie ou un rhume, a une origine psychosomatique.

Pour guérir le corps malade, les thérapeutes alternatifs n'utiliseront donc guère les méthodes des médecins. Les médicaments seront remplacés par des plantes, des tisanes, des huiles essentielles, ou tout autre produit porteur de l'étiquette «naturel». L'intervention chirurgicale sera réduite à son minimum.

Poussée à son extrême, cette théorie peut conduire à la mort. Si tout se résume à une question d'émotions refoulées, le malade n'a plus besoin de médicaments pour guérir. Le mélange de cette théorie avec la croyance en des entités capables de guérir les maladies est également fréquente. Et il n'est pas rare de voir des médiums-guérisseurs suggérer effectivement à leur clientèle de cesser toute médication afin de laisser le champ libre aux entités.

La manipulation psychologique

L'approche «holistique», si elle est récupérée par des charlatans, ouvre la porte à la manipulation psychologique du client. Cette possibilité est augmentée lorsqu'il s'agit d'une psychothérapie. L'intervenant, s'il ne respecte pas une forme élémentaire d'éthique, peut facilement devenir un gourou-thérapeute: profitant au maximum de sa vision «holistique» de la santé, le gourou est en possession d'informations intimes qui lui permettent de contrôler son client-adepte. Ce dernier est toujours dans un profond état de vulnérabilité.

Généralement pourvu d'une personnalité charismatique, le gourou-thérapeute propose à ses clients-adeptes «sa» version de la vérité. Tout comme la secte, il revendique un statut spécial et des pouvoirs particuliers, et tend à interdire la consultation d'autres thérapeutes. S'appuyant sur l'utilisation de techniques de manipulation, telles la pression, la culpabilité ou la peur, il atténue le jugement critique de son client et l'enferme dans un système très complexe de dépendance.

Ce qui, paradoxalement, est à l'opposé du but recherché par les «conspirateurs» de l'Ère du Verseau: l'autonomie de l'Homme...

14

Quand la confiance sert d'artifice

Dolorès et moi avions toujours dédaigné les médecines alternatives. Mais cette attitude a changé lorsque Dolorès, atteinte d'une tumeur maligne, s'est retrouvée face à la mort. «Il n'existe aucun remède», avait dit l'oncologue. Qu'avions-nous à perdre?

Nous voilà donc chez la naturopathe, Mme Smith. Une vaste maison de banlieue où une jeune fille en uniforme blanc nous accueille. Elle demande un échantillon d'urine. Pendant les 12 derniers jours, Dolores n'a que peu mangé, et vomi presque tout ce qu'elle a avalé. Malgré tout, elle réussit à remplir d'urine très concentrée environ 10 ml d'un contenant de yogourt, et nous sommes conduits à Mme Smith en personne.

C'est une femme grande et mince. Elle a le dos quelque peu voûté, un air austère et environ 60 ans. Elle nous étudie brièvement. Elle plonge un *Multistix* dans l'urine et note les résultats. Elle note la présence de «bile». Je sais d'expérience que les lectures peuvent être incertaines en de telles circonstances, mais je n'émets aucun commentaire.

«Vous voyez, votre urine est très acide, vous avez trop d'acide en vous. Est-ce que vous avez vos règles?»

«Oui.»

«Alors ça explique la présence de sang.» Elle ne semble pas se rendre compte de son erreur de raisonnement et nous donne sa version de la physiologie.

Le foie est responsable de toutes les maladies. Si le foie contient des toxines, il dépérit et fait apparaître des maladies ailleurs. Elle veut connaître l'alimentation habituelle de Dolores. Elle rejette presque tout ce que nous lui mentionnons.

«Muesli? Pas bon du tout. Ça contient du sucre.»

«Nous le faisons nous-même. Nous n'ajoutons pas de sucre.»

«Quel est le principal ingrédient?»

«Des flocons d'avoine.»

Elle nous explique que les flocons d'avoine ne valent rien comme aliments: «Si vous plantiez un flocon d'avoine dans la terre, rien ne pousserait, n'est-ce pas? Si vous plantiez un grain de blé, il pousserait, n'est-ce pas? Eh bien, vous voyez. Le blé, c'est vivant, et c'est de la vie que vous voulez, non?»

«Votre tumeur, poursuit-elle plus tard, a probablement débuté dans vos poumons. C'est un manque d'oxygène qui l'a causée. Dormez-vous dans une chambre dont les fenêtres sont fermées?»

«Elles sont toujours ouvertes.»

De toute évidence, elle n'avait pas prévu cette réponse. «Et les autres fenêtres?»

«Notre parenté se plaint continuellement du vent qui souffle à travers la maison. La maison au complet est toujours ouverte.»

«*Toujours?*»

Elle cherche manifestement quelque chose qu'elle pourrait désigner comme cause d'un manque d'oxygène.

«Vous avez besoin de plantes d'appartement pour vous donner de l'oxygène; avez-vous des plantes d'appartement?»

«La maison en est pleine.»

«Mais la chambre à coucher, elle? Il vous faut quelque chose comme un caoutchouc dans la chambre à coucher pour vous donner de l'oxygène. En avez-vous un?»

«Il y en a un dans la cour avant, mais non, il n'y en a pas dans la chambre à coucher.»

«Vous voyez, dit-elle, triomphante. Pas assez d'oxygène.»

Sa confiance est absolue. On voit facilement comment cette confiance dévorante et ses quelques fragments de jargon scientifique peuvent convaincre les ignorants, les crédules et les désespérés – sa clientèle au grand complet.

Nous payons les 70 $ pour la consultation. Elle déclare: «Je veux vous revoir dans deux semaines. Quelle heure vous conviendrait?»

Extrait d'un article paru dans *The Skeptic*, hiver 1988, sous le titre *Experiencing a Confidence Trick*

15

Huit mythes du charlatanisme

Stephen Barrett, M.D.[*]

Mythe #1 : Le charlatanisme est facile à dépister.

Faux. Les charlatans modernes utilisent un jargon scientifique qui confond tous ceux qui ne sont pas familiers avec la science.

Mythe #2 : L'expérience personnelle est la meilleure arme.

Lorsque vous vous sentez mieux après avoir pris un produit ou suivi un traitement, il est tout à fait normal de lui attribuer l'amélioration de votre état. Ceci est une erreur, car beaucoup de maladies guérissent par elles-mêmes. La seule façon de valider une thérapie alternative serait d'observer une amélioration jour après jour, et sur un grand nombre de personnes (voir au chapitre 2, l'effet placebo).

Mythe #3 : Les victimes sont des gens faciles à duper.

Les individus qui achètent un livre ou des pilules «magiques» sont évidemment crédules. Il y a aussi ceux qui ont la manie de suivre tout ce qui est «à la mode». Mais la majorité sont tout simplement peu méfiants de nature – peu sceptiques, en somme !

---

[*] Stephen Barrett est psychiatre. Il est membre du *National Council Against Health Fraud*, conseiller scientifique pour le *American Council on Science and Health* et co-président du *Health claims sub-committee* du *Committee for the Scientific Investigation of Claims of the Paranormal* (CSICOP). Traduction de Michel Bellemare.

Mythe #4: Les victimes méritent ce qui leur arrive.

Ce sentiment est la raison principale pour laquelle les journalistes, les officiers de police, les juges et les législateurs ne font pas de la lutte au charlatanisme une priorité. Pourtant, personne ne devrait souffrir ou mourir à cause de son ignorance, ou de son désespoir.

Mythe #5: Tous les charlatans sont des fraudeurs

Certains le sont, mais bon nombre sont tout à fait sincères. Ce sont des croyants, zélotes ou dévots dont le principal problème semble être l'absence d'esprit critique.

Mythe #6: Les formes mineures sont inoffensives.

Une imposture impliquant une faible somme d'argent et peu de dommages physiques est souvent considérée comme inoffensive. Par exemple, porter un bracelet de cuivre contre l'arthrite. Nous pouvons cependant considérer ceci comme des indicateurs d'une certaine confusion de la part de leurs utilisateurs, et d'une vulnérabilité accrue face à des escroqueries plus sérieuses.

Mythe #7: Leur succès provient des erreurs des médecins.

Dans certains cas, les patients se tournent vers les charlatans parce qu'ils jugent leur médecin pas assez «humain». Mais en général, ça n'a rien à voir. Blâmer la médecine pour le succès des charlatans est aussi illogique que de blâmer l'astronomie pour le succès de l'astrologie.

Mythe #8: Les thérapies alternatives relèvent de la science.

En 1991, le Congrès américain a promulgué une loi obligeant les *National Institutes of Health* (NIH) à établir un comité (*Office of Alternative Medicine*) pour favoriser les recherches sur les thérapies alternatives. Aucune de ces recherches n'a donné de résultats concluants. Cependant, les promoteurs des thérapies n'ont pas hésité à présenter les recherches du NIH comme une «caution scientifique» – et les médias se sont empressés de le répéter!

16

Comment détecter une thérapie boiteuse?

Pierre Lévesque, M.D.

Les partisans des approches alternatives accusent les scientifiques d'étroitesse d'esprit, affirmant qu'ils refusent de considérer une théorie s'éloignant des «dogmes» de la science. C'est bien mal connaître le fonctionnement de la science. Les prix Nobel sont le résultat d'idées nouvelles; les théories ne sont rejetées qu'après avoir été suffisamment testées.

Les scientifiques reconnaissent les théories boîteuses grâce à l'expérience qu'ils ont des nombreux culs-de-sac dans lesquels se sont enfoncés les chercheurs qui les ont précédés. Voici quelques-uns des problèmes qui entachent ces théories boîteuses.

Mesures subjectives

Les résultats rapportés proviennent de mesures hautement subjectives, tel «le patient va mieux». Il est préférable d'évaluer l'efficacité d'un traitement sur des mesures objectives qui peuvent s'exprimer, si possible, en termes mathématiques.

Différences minimes

Les études qui ne montrent que de petites différences entre le groupe traité et le groupe contrôle (celui qui n'a pas reçu le médicament) sont suspectes.

Résultats toujours négatifs

Des résultats négatifs ont plus de valeur pour infirmer une théorie que des résultats positifs en ont pour la défendre, surtout si ces résultats négatifs se répètent. La raison est simple: si la prétention est vraie, ceux qui l'étudient en arrivent à un moment donné à pouvoir en faire constamment la démonstration.

Absence de preuves directes

Les théories doivent faire l'objet de vérifications directes. Par exemple, si «l'énergie» circule dans le corps le long de «méridiens», et qu'une simple aiguille peut l'influencer, alors il devrait être possible de mesurer cette énergie par des expériences.

Absence de nouvelles connaissances

La somme des connaissances doit s'accroître avec le temps. Dans les années 1960, les biologistes n'avaient qu'une très vague idée de la façon dont l'ADN orientait le développement des organismes vivants. Maintenant, ils peuvent en parler en détail. Or, dans le cas de l'homéopathie, on en est au même point qu'il y a 200 ans!

Mot «science» utilisé de manière étroite

Les partisans des approches alternatives diront souvent que leurs traitements sont basés sur des preuves, mais «pas de celles acceptées par la science». Le problème, c'est que la science n'est rien de plus que la somme de ce que nous savons sur la manière d'évaluer les prétentions. Ainsi, dire qu'il n'y a pas de preuve scientifique revient à dire qu'il n'y a pas de preuve.

Discours sur la conspiration

Les «croyants» avancent toutes sortes d'excuses pour justifier le manque d'évidences: pauvreté des fonds de recherche, obstructions délibérées de l'establishment, etc. Or, on peut douter de ces explications quand on prend conscience des sommes faramineuses amassées par l'industrie des thérapies alternatives.

Mots à connotation scientifique

Il est fréquent de constater l'usage de mots dont on change la signification. À quoi renvoie énergie dans «énergie vitale»? Avec quel instrument mesure-t-on cette énergie? Comment peut-on affirmer que l'énergie est «débalancée» si on ne peut pas la mesurer? Que signifient les termes «entropie démocratique», «psychologie quantique», etc.?

Un milliard de Chinois ne peuvent avoir tort...

La popularité d'une théorie n'a rien à voir avec sa véracité. Pendant des siècles – et même des millénaires – on a cru massivement à la génération spontanée, à la théorie des humeurs ou tout simplement à la Terre plate.

*   *   *

Une fois qu'une école s'est développée autour de théories boîteuses, elle freine tout progrès utile. Cette «institutionnalisation» est la garantie d'une séquence continue de résultats constamment «positifs».

Bien sûr, la science n'explique pas tout. Il faut éviter de tomber dans l'excès inverse. Mais avant de confier sa vie à une forme quelconque de traitement, il convient de prendre un minimum de précautions et d'asseoir son choix sur des preuves objectivement obtenues. Je refuserais de prendre l'air avec un pilote qui ne se fierait qu'à son intuition pour juger du bon état de son avion...

Première parution: *Le Québec Sceptique*, printemps 1998.

QUATRIÈME PARTIE:

ÇA NE FAIT DE MAL À PERSONNE, POURQUOI S'INQUIÉTER?

L'illusion est au cœur ce que l'oxygène est à l'appareil respiratoire.

Maurice des Ombiaux, *Le Guignol de l'Après-Guerre*

1

La télépathie
dans les manuels scolaires

Isabelle Burgun

Pas dangereux, dites-vous? Comptez donc le nombre
d'enseignants parmi les candidats du Parti de la loi naturelle. Une douzaine, seulement au Québec.

Pierre Foglia, *La Presse*, 30 octobre 1993

Les temples de l'intelligence que sont les bibliothèques offrent
aux enfants des choix de lecture surprenants. Des ouvrages sur des
sujets aussi bizarres que la sorcellerie, la réincarnation, l'astrologie,
les ovnis, le monstre du Loch Ness... Leurs auteurs affirment souvent
être les détenteurs de «la» vérité et tournent le dos à la science et au
rationnel. *Overdose* dangereuse pour les moins de 10 ans?

Souvenez-vous de ce petit chimiste qui composait des potions à
base de poivre pour surprendre ses amis dans la cour de récréation.
Aujourd'hui, les enfants sont-ils des médiums en herbe, des télépa-
thes, des chasseurs d'ovnis et de monstres-du-fond-du-lac? De nombreux ouvrages empruntés à la bibliothèque du quartier, section
jeunesse, peuvent nous le faire croire. Ils recèlent des méthodes pour
devenir télépathe ou jouer au devin. Ils permettent de «tout» connaître sur les extraterrestres, les sorcières – avec une véritable entrevue –
la perception extrasensorielle, et bien d'autres choses.

En naviguant dans les répertoires pourtant, point de «paranormal» ou autres appellations contrôlées. Il faut parcourir les rayonnages. Les ouvrages en question sont classés avec ceux de religion... ou de science.

Derrière *Jésus de Nazareth*, se dissimule *La perception extra-sensorielle*, par Danièle Simpson. Au sommaire: *Qu'est-ce que la parapsychologie?*, *Rencontre avec un médium*, *Le mystère de l'Atlantide*, *Le jeu de la télépathie*, *Le tableau Ouija*, *Les ovnis et les extraterrestres*.

Au premier chapitre, *Les enfants aux pouvoirs de héros*: «Les enfants ont plus de facilité que beaucoup d'adultes à sentir le côté mystérieux de la vie.» Un peu plus loin: «Tous les enfants imaginent qu'ils ont une force extraordinaire et rêvent d'être invincibles. Les enfants «psi», eux, y parviennent.»

Suivent alors des exemples, comme Jean-Marie qui pratique la télékinésie – le pouvoir de déplacer les objets à distance – la jeune médium indienne Shanti Devi, l'enfant fakir Yvon Yva qui s'enfonce des épingles dans les joues, la réincarnation de Mollie Faucher. Mesurez vos facultés paranormales, dit le dernier paragraphe en donnant la référence d'un ouvrage, écrit par un psychologue dans la collection *Marabout*, accompagné d'un lexique qui définit le plus sérieusement du monde clairvoyance, aura, nécromancie, etc.

Rencontre du troisième type

Dans la même collection, Marie-Andrée Warmant-Côté initie les enfants à la sorcellerie. Au programme: *Les célébrités de la sorcellerie*, *Rencontre avec une sorcière*, *Le voyage d'un chaman*, *Les pouvoirs des sorciers et des sorcières...*

Rencontre avec une sorcière. Jessica, très belle «avec un sourire enchanteur», explique: «Habituellement, je ne révèle pas que je suis une sorcière. J'ai accepté cette entrevue parce que ça me donne l'occasion de faire des mises au point, d'expliquer qui nous sommes. Je souhaite que les gens aient moins peur de nous.» Elle parle de son apprentissage pour devenir sorcière et de sa prise de contact avec 13 sorcières: «Avec elles, j'ai étudié les propriétés des plantes, la télépathie, l'archéologie, la radiesthésie, la clairvoyance, l'interprétation de la numérologie, la médiumnité, etc.» Selon ses dires, elle s'est aussi perfectionnée en hypnose, renforcement de l'intuition, transe et lévitation, projection astrale, exorcisme et bien d'autres. Jessica est une sorcière très douée!

Le curieux déniche également, toujours dans les sections jeunesse, des ouvrages d'astrologie (*Découvre l'astrologie*, aux éditions Hatier), de fantômes et autres mystères (comme celui du Loch Ness, aux éditions d'Études Vivantes, avec une préface croustillante de Bernard Heuvelmans, Docteur ès sciences zoologiques sur cette «grande otarie au long cou») et des traités sur les ovnis.

Loin de vouloir interdire des publications pour les jeunes, il conviendrait tout de même de se demander si les parents ne devraient pas être davantage attentifs aux lectures de leurs rejetons. Ne serait-ce que pour leur rappeler la nécessité de douter. Petit esprit critique deviendra grand!

2

Lectures pour les futurs clients de Madame Irma

Pascal Forget

On ne s'étonne plus d'apprendre que les livres ésotériques soient plus nombreux que les livres scientifiques dans les bibliothèques: une enquête de l'Agence Science-Presse, publiée dans *La Presse* du 25 février 1996, avait permis d'établir que les bibliothèques montréalaises offraient un choix fort varié en la matière. Mais on peut sursauter à l'idée que les livres d'ésotérisme spécialement rédigés pour les enfants semblent être devenus des cibles de choix dans ces mêmes bibliothèques publiques.

La perception extra-sensorielle et autres phénomènes inexplicables, collection Primevères, permet à l'enfant d'enrichir son vocabulaire de mots comme médium, voyance et aura. Le livre contient notamment une entrevue éclairante du «médium» Jean-Claude Dakis, qui explique aux enfants en quoi consiste son métier de voyant: «Je n'annonce jamais la mort d'un de mes clients. Remarquez, ça ne l'empêche pas de mourir au moment où j'avais vu qu'il mourrait.» Si c'est lui qui le dit...

On y offre aux jeunes un chapitre intitulé «Le Jeu de la télépathie», avec des questions telles que: «Qui a le meilleur contact télépathique?» Et on y apprend la meilleure méthode pour faire de la télépathie avec les esprits.

D'aucuns pourront prétendre que cet ouvrage est documenté, puisqu'il propose en bibliographie *Tout sur les fantômes*, dans la collection *Le monde de l'inconnu* (Pierre Borduas et fils, éditeurs). On retrouve aussi cet édifiant ouvrage à la bibliothèque centrale de Montréal.

Que retrouve-t-on dans *Tout sur les fantômes*? Comme de juste, des conseils pour repérer les fantômes, de même qu'une liste de vérifications pour s'assurer que nous avons bel et bien affaire à un revenant. Par exemple, nous explique-t-on le plus sérieusement du monde, les vrais fantômes ne parlent jamais.

Enfin, pour les enfants plus débrouillards, le cadeau de Noël idéal: le livre *Je sais faire des fantômes*.

Et les soucoupes volantes?

Les extraterrestres n'allaient évidemment pas être oubliés par les éditeurs. Ainsi, les enfants pourront dissiper tout doute qu'ils auraient pu conserver quant à l'existence d'E.T.: ils sont là, il n'y a pas à revenir là-dessus, et ils nous observent, affirme d'un couvert à l'autre *La Nouvelle vague des soucoupes volantes*, dans la collection Bibliothèque verte, connue pour ses romans-jeunesse.

Dans une section de ce livre qui se veut scientifique, l'enfant est confronté à des chapitres pseudo documentaires, comme «Il y a d'autres vies dans l'Univers» et «Des astronautes ont vu des ovnis».

Dans *Face aux extraterrestres* (collection Livres de poche), les enfants apprennent également que la Terre est méthodiquement explorée par des visiteurs de l'espace. Les endroits les plus visités, selon les «experts» consultés – tous des ufologues – seraient les bases aériennes et les grandes villes des États-Unis.

Nulle part l'auteur ne semble établir de corrélation entre le fait que les endroits où l'on aperçoit le plus souvent des «lumières dans le ciel» soient les endroits où des avions se posent et décollent!

Votre enfant fait une recherche sur les dinosaures? Branchez-le sur *Les extraterrestres dans l'histoire*, un ouvrage qui assure, par exemple, que la disparition de ces grosses bêtes, il y a 65 millions d'années, a été causée par l'explosion d'une étoile sciemment provoquée par des extraterrestres!

Et l'astrologie?

Pendant que les enfants lisent et s'instruisent, les parents peuvent apprendre à mieux connaître leur bambin grâce aux signes astrologiques.

Deux collections différentes proposent même un livre par signe. On y apprend, par exemple, que les petits Cancer ont besoin de vitamines, de fruits et de légumes, de même que de sommeil (et pas les autres?)

On précise aussi que les enfants nés sous le signe du Cancer peuvent inscrire leur visage dans un cercle (?) et ont les traits indécis de l'enfance.

Et pendant ce temps, on prend à parti les contes de fée, sous prétexte qu'ils véhiculent des stéréotypes...

Anecdote supplémentaire

En visitant en 1996 le centre de référence du Groupe Entreprendre, une association de travailleurs autonomes, quelle ne fut pas ma surprise de découvrir, côtoyant les livres d'affaires (marketing, comptabilité, etc.) une section complète de livres voués à l'ésotérisme!

La vie d'Edgar Cayce, Nostradamus, la magie des couleurs, visualisation créatrice, les guérisons, machins tibétains, gestion des énergies... Croit-on vraiment que ça peut aider un entrepreneur? Nostradamus comme modèle de réussite en affaire... ou comme outil pour prédire les tendances économiques?

Imaginez le chef d'entreprise qui se mettrait à faire des prévisions de ventes aussi précises que les prévisions astrologiques d'Andrée d'Amour...

Ceci dit, ces ouvrages n'ont pas empêché le Groupe Entreprendre de fermer ses portes peu après...

3

Un manuel d'astrologie
en sixième année

En avril 1995, les Sceptiques du Québec mettaient la main sur une petite bombe... Une mère pondait un article indigné sur le manuel de français qu'utilisait sa belle-fille en 6ᵉ année. Intitulé *Français 6, Pastille et Giboulée*, ce livre, publié en 1988, et toujours distribué – du moins, dans la commission scolaire de Grandpré (dans le centre du Québec et en Mauricie-Bois-Francs), comportait, au milieu de sa petite centaine de pages, un chapitre de 32 pages, intitulé «Que sera demain», consacré exclusivement aux sciences occultes: astrologie, horoscope chinois, numérologie («La signification des nombres pour les prénoms»), chiromancie («L'analyse dermatodigitaloglyphe de l'index»), etc. On y apprend que «L'astrologie explique tout»...

Un professeur y affirme: «Je crois aussi que les corps célestes ont une influence sur les humains. Par exemple, on peut vérifier que, lors des pleines lunes, il y a plus de gens agressifs, la violence augmente... Nous subissons au jour le jour l'influence des corps célestes... Aussi, il m'apparaît sage d'utiliser les services d'un astrologue pour connaître les influences que vous aurez à subir.»

Pour clore ce chapitre, il y a même une section «Astrologie ou exploitation des naïfs»! «Si l'astrologue travaillait en harmonie avec les astronomes, ces derniers pourraient prévoir les trajectoires des planètes et signaler ces événements aux astrologues qui pourraient prévenir, par exemple, les gens d'éviter de provoquer leur environnement durant telle période parce que dans les conditions que présentent les astres, plusieurs personnes auront tendance à être violentes.»

«Et le professeur de ma belle-fille, s'exclame Mme Richard, a demandé aux élèves de la classe de faire un travail sur une des sciences occultes présentées dans ce manuel!»

«Mère d'un enfant, belle-mère de deux autres, c'est avec effroi que je vois l'esprit critique disparaître de plus en plus souvent au profit des préjugés et des superstitions les plus crasses. Passe encore que des gens s'amusent à faire leur carte du ciel dans la cuisine, cela les regarde. Mais que ce soit l'école qui l'enseigne, là je ne marche plus!

«Les enfants sont sans défense devant le merveilleux. Si l'école faillit à son devoir, c'est-à-dire tracer la frontière entre le réel et l'imaginaire, entre science et croyance, on confisque à l'enfant le pouvoir de maîtriser l'un et l'autre convenablement, de se défendre contre quiconque cherchera à lui imposer sa vision des choses. Or cette maîtrise n'est-elle pas leur seule arme pour appréhender la complexité croissante de notre monde?

«Et je prierais instamment l'avocat du diable de ne point venir ici invoquer les principes de "tolérance" et de "liberté d'expression" pour défendre ces cagots du Nouvel âge qui se prennent pour des éducateurs! Qu'est-ce que la tolérance, quand elle engraisse obscurantisme et superstition, les deux mamelles de la barbarie? Notre siècle en témoigne de triste manière; tout crime contre la raison fait son lit de l'ignorance et débouche souvent sur les fanatismes meurtriers et les crimes contre l'humanité.»

Entrevue avec le Dr Astro

Extrait du manuel scolaire en question, p. 72 à 74. Ce manuel fut utilisé dans au moins une commission scolaire de 1989 à 1995.

Journaliste: Docteur Astro, une question bien élémentaire tout d'abord: qu'est-ce que l'astrologie?

Dr Astro: Sachez qu'il existe une différence énorme entre l'astrologie qu'offrent les journaux, les revues et la radio avec leurs horoscopes improvisés et l'astrologie, l'autre, la vraie, qui est basée sur le calcul de la carte du ciel de chaque individu. Évidemment, je ne crois qu'à la vraie astrologie.

Journaliste: Qu'est-ce que l'astrologie?

Dr Astro: L'astrologie, c'est le calcul des influences que les corps célestes exercent sur les humains et l'interprétation de ces calculs.

Journaliste: Les corps célestes nous influencent?

Dr Astro: Évidemment qu'ils nous influencent. Personne ne peut nier l'existence des marées. Par quoi sont-elles provoquées? Par l'influence de la Lune. Les plantes, les animaux et les humains subissent, de toute évidence, l'influence du Soleil. Des savants ont établi un rapport entre des activités volcaniques, des tremblements de terre et la position des grosses planètes de notre système solaire.

Journaliste: Et vous dites, en astrologie, que ces corps célestes influencent aussi les humains et pas seulement sur le plan physique.

Dr Astro: Exactement. Il y a déjà des milliers d'années, les Grecs, les Romains et, avant eux, les Égyptiens avaient observé le déplacement des astres et les avaient associés à des caractéristiques favorables ou défavorables pour les humains. Aussi, dès ces temps reculés, les rois consultaient toujours les astres avant de prendre une décision importante.

Journaliste: Comment faites-vous le calcul de ces influences?

Dr Astro: Ce n'est pas simple à expliquer. Dès le moment de sa naissance, l'être humain est soumis à l'influence des astres. Aussi, il est important de connaître l'heure et le lieu de sa naissance. L'heure, pour pouvoir d'abord dresser la carte du ciel, c'est-à-dire calculer la position exacte des divers corps célestes au moment de la naissance, puis le lieu de naissance, pour ensuite calculer l'influence de ces corps selon leur position.

Journaliste: Vous voulez dire que si je suis ce que je suis et si je réagis comme je réagis aux événements et que s'il m'arrive ce qui m'arrive, tout cela est dû à la position des astres?

Dr Astro: C'est là le secret de l'astrologie que de pouvoir calculer les influences des astres et renseigner une personne sur ce qui se passe en elle et autour d'elle et même, de la prévenir de ce qui l'attend.

Journaliste: Vous voulez dire Docteur Astro qu'avec vos savants calculs vous pouvez prédire mon avenir?

Dr Astro: Je ne peux évidemment pas vous prédire ce que vous allez manger pour souper samedi soir prochain. Je ne peux que prévoir des influences favorables ou défavorables qui agiront sur vous et vous conseiller d'agir ou de ne pas agir avec prudence dans divers domaines (l'amour, le travail, l'argent, la santé, etc.).

Journaliste: Et si je ne suis pas vos conseils?

Dr Astro: Ce comportement serait prévisible puisqu'il serait dans votre tempérament de passer outre aux conseils. Vous savez, votre destin est écrit dans les astres et, quoi que vous fassiez, vous ne pouvez passer à côté. Aussi, il m'apparaît sage, dans de telles conditions, d'utiliser les services d'un astrologue pour connaître les influences que vous aurez à subir.

Journaliste: Docteur Astro, je vous remercie pour toutes ces informations.

Selon une recherche effectuée en avril 1995 par Alain Bonnier, des Sceptiques du Québec, l'éditeur de ce manuel scolaire pour le moins controversé en avait vendu, entre 1989 et 1995, 22 000 exemplaires, la plupart achetés par des écoles qui les prêtent ensuite à leurs élèves. Multipliez ce chiffre par les sept années scolaires au cours desquelles ces livres furent réutilisés, et vous aurez une idée plus juste de l'impact...

4

Le commandant Ashtar au cégep

Un professeur de physique du Cégep de Sherbrooke affirme avoir reçu des informations extraterrestres faisant état de «bouleversements imminents» sur Terre, qui nécessiteront une évacuation de la population.

Le professeur, qui enseigne depuis 23 ans au cégep, a envoyé un communiqué à *La Presse*, en se disant «responsable des communications pour le commandant Ashtar et pour le Conseil de la galaxie». Selon lui, «la Terre est en danger, nous prévoyons la nécessité d'une évacuation de la population.»

La Presse, 8 juin 1996

5

Et Dieu créa Darwin...

La bataille entre scientifiques et créationnistes a pris un nouveau tournant: l'Académie américaine des sciences a publié un rapport intitulé *Enseigner l'évolution*, qui enjoint les écoles à inscrire l'évolution des espèces dans leurs cours, et à laisser le débat sur la Création aux cours de religion.

Qu'il ait fallu en aller jusque-là souligne l'importance qu'a pris le débat aux États-Unis. En dépit de décisions judiciaires qui avaient décrété que le «créationnisme scientifique», comme ses partisans l'appellent, n'est pas une science, et qu'il est donc illégal d'imposer son enseignement en lieu et place de l'évolution, en dépit de cela, le lobby se poursuivait, et avait atteint ces dernières années des proportions qu'on n'aurait jamais cru possibles il y a 10 ans.

Dans plusieurs états du Sud, des conseils scolaires imposent que soient enseignés, sur un pied d'égalité, le «Créationnisme» et «l'Évolutionnisme»; quelques états songent sérieusement à retirer le terme «évolution» des programmes; en Alabama, les livres utilisés dans les cours de biologie contiennent désormais un avertissement, selon lequel l'évolution n'est rien de plus qu'une «théorie controversée».

Conséquence, écrit le magazine britannique *The New Scientist*, apparemment pantois devant ces étranges Américains: «Trop souvent, les enseignants trouvent une façon de s'en sortir en omettant la question «controversée» de l'évolution.»

Le rapport *Enseigner l'évolution*, qui a décroché la une de plusieurs journaux, se présente sous la forme d'un manuel de l'enseignant; il décrit comment l'évolution devrait être discutée, et comment répondre à des questions délicates de parents. Le livre définit l'évolution comme le concept le plus important de la biologie moderne et s'insurge contre le fait que des étudiants en entendent peu parler, parce que leurs professeurs sont réduits au silence par différents lobbys de droite.

Le rapport tente également de faire comprendre ce qu'est la méthode scientifique, et il souligne que le terme «théorie», comme dans «théorie de l'évolution», n'est pas synonyme de «pari hasardeux»... Il insiste au passage sur le fait – apparemment non évident pour plusieurs – qu'on peut très bien croire en Dieu ET accepter l'évolution.

Les groupes religieux conservateurs ne sont évidemment pas contents: «Nous croyons, déclare au *Washington Post* Arne W. Owens, porte-parole de la Coalition chrétienne, que les communautés ont le droit de voir leurs valeurs reflétées dans le programme scolaire.»

Hebdo-Science, 9 juin 1998

6

«Mentir comme ça à la télé, c'est affreux!»

Un mage qui guérit le cancer par fax, bien sûr, c'est absurde.

Mais Philippe Sauvage, dit Gouezh, avait eu les honneurs de l'émission de Patrick Sabatier sur TF1. Alors, de braves gens y ont cru...

«C'était à la télé, et puis il y avait cinq ou six «miraculés» qui parlaient, alors on a voulu y croire», se souvient Nicole L. «Ma fille venait d'avoir 12 ans, elle avait un cancer des os. Les médecins n'avaient rien contre une expérience de ce genre-là, si ça pouvait aider la petite à garder le moral. On y a cru, elle aussi y a cru. Et puis, elle est morte. Mentir comme ça à la télévision, c'est affreux!»

Les parents de Mathieu T., atteint de mucoviscidose, racontent: «Si on voulait guérir notre enfant, il fallait donner d'avance 20 000 francs (environ 5000 $). Ça faisait une somme. Comme ce n'était pas un cancer, ils ont accepté de descendre à 10 000 francs. Ils disaient que l'argent servirait à des causes écologiques.»

Georges B, 64 ans, perdait lentement la vue et l'équilibre; lui, il a versé 8000 francs. «Je faisais confiance à ce type, parce qu'il passait à la télévision.»

La justice ne fait pas de miracles. Deux ans et demi après l'apparition du «mage» dans l'émission de Patrick Sabatier, *Si on se disait tout*, nul n'a rendu aux parents devenus victimes ce qu'ils ont perdu: l'argent, l'espoir et, pour certains, la vie.

Le Nouvel Observateur, n° 1493

7

L'Ordre de la Grande Gourounerie

Jean Paré

Luc Jouret n'est pas mort. Il y a 10, 100, il y a 1000 Jouret. Les clones du gourou homéopathe courent les rues, les salles de conférence, les écoles, les hôpitaux, les écrans de télé.

Il est caché parmi nous. Il est partout, dans les colloques, les séminaires, les lignes 900, dans les librairies, les magazines. Il exploite la naïveté et l'ignorance. Il les entretient, comme l'éleveur s'assure que ses animaux seront d'un bon rendement.

Le Jouret moyen se présente en toutes sortes de versions, pour tous les goûts et tous les niveaux : cela va du banal horoscope, qui relève du divertissement, à l'astrologie, en passant par ces manies à la mode, télépathie, numérologie, ésotérisme, ovnis, pyramides, grandes et petites, tout ce ragoût dans le grand chaudron du Nouvel âge qui est le nouvel obscurantisme.

Ce qui doit inquiéter davantage, c'est quand ce bazar clair-obscur devient un culte de l'irrationnel, quand il investit, sous camouflage de remise en question scientifique, le monde médical, l'école, les cours de perfectionnement, la formation des cadres, l'entreprise. Les chevaliers de la foutaise, les commandos du paranormal ont su créer tout un maquis de l'occulte où ils consolent des réfugiés du savoir que la difficulté croissante de la science rebute. Il faut 20 années d'études pour aborder les vrais secrets de l'Univers – sans pour autant toujours trouver de réponses – alors qu'on se recycle en trois semaines dans le dosage d'urine, l'irrigation du côlon ou l'imposition des mains. Comment expliquer que l'on guérisse le cancer par l'imposition des mains, mais que personne ne songe à utiliser la méthode pour faire pousser les carottes?

Comment expliquer cette épidémie de guérisseurs autoproclamés? L'époque semble propice à la multiplication des rôles qui s'apprennent par imitation – comme certains sports, en faisant «comme si».

Mais, dira-t-on, si ça marche, parfois... Bien sûr. Une petite pilule de sucre est parfois efficace (effet placebo). Pourquoi un faux maître, un placebo à deux pattes, ne réussirait-il pas? Et les morts ne poursuivent pas.

L'Ordre de la Grande Gourounerie vit de l'anxiété et de l'angoisse. Ses prêtres n'inventent pas les maux qu'ils soignent, mais ils les nomment. On les reconnaît à ce qu'ils ne s'attaquent jamais au mal, mais, de leur propre aveu, aux malades. Ils parlent de «croissance», de révélation à soi-même. «Cherchez l'enfant en vous», ordonnent-ils. Le problème, c'est que souvent, le patient ne trouve que cela. Eux l'avaient déjà repéré. Ils réimpriment simplement des billets de loterie perdants en caractères majuscules. Ou gothiques. Leur évocation d'un savoir perdu, d'un âge d'or hélas! évanoui colle parfaitement au sentiment, chez leurs victimes, d'un sens, d'un bonheur, eux aussi évanouis.

On peut les reconnaître à leurs promesses délirantes. À leur croyance naïve à la science, alors que pourtant, ils la nient et la dénoncent. Ils préfèrent simplement leur pseudo science facile, un salmigondis d'énergies, de toxines, de rayonnements que rien ni personne n'a jamais pu repérer, de théories, d'équations, de calculs qui tiendraient sur un papier à cigarette.

Le triomphe de la superstition est l'échec de l'entreprise principale de nos sociétés en ce siècle: l'éducation. Le succès de cette activité mensongère serait impossible sans une absence profonde de culture. De culture scientifique, d'abord. On sort aujourd'hui de l'école sans la moindre notion de ce qui s'appelait, il n'y a pas longtemps encore, les sciences naturelles. Pis, comme des virus qui utilisent l'organisme lui-même pour se reproduire, les gourous se retrouvent dans l'école même. Ils infestent les centres du pouvoir, gouvernements, sociétés d'État, écoles, églises, syndicats, médias. Psycho-ceci-ou-cela, raëliens, templiers tiennent des séances de formation dans les hôpitaux, les entreprises, les syndicats, à l'école même.

Faute de formation, peut-on au moins compter sur l'information? Non seulement la clique a ses propres magazines, ses maisons d'édition, mais les médias les servent inconsciemment. Ils utilisent les sujets scientifiques comme divertissement ou comme bouche-trou. La couverture des questions scientifiques dans les journaux est un scandale: n'importe qui écrit n'importe quoi, n'importe quelle dépêche, sortie d'on ne sait où, devient vérité scientifique; le monde se réchauffe un jour, refroidit le lendemain; voilà le cancer enfin vaincu, pour redevenir incurable la semaine suivante. Principe général: «À soir, on fait peur au monde.»

Le savoir est difficile, mieux vaut le savoir-minute, en poudre. De perlimpinpin, bien sûr. Absence de culture littéraire, également. Dans cette gibelotte de superstitions, d'erreurs, d'invention délirantes, on ne sait plus reconnaître des archétypes vieux comme le monde, et on prend tout au pied de la lettre.

L'invasion de la politique n'est pas loin: il n'y a guère de différence entre les théories cosmiques de Jouret ou de la scientologie, et l'histoire telle que revue et corrigée par des démagogues comme Louis Farrakan, ou même par les activistes *politically correct* des grandes universités américaines.

Alors voilà. Voilà pourquoi Luc Jouret est plus d'actualité que jamais. Il y a incendie en la demeure. Puisse-t-on enterrer bientôt les cendres du gourou.

L'Actualité, février 1995, p. 8

8

Des coups de pied au culte

Richard Martineau

«L'homme est prêt à croire à tout, pourvu qu'on le lui dise avec mystère», disait Malcolm de Chazal.

L'année dernière, 16 nouveaux lieux de culte ont ouvert leurs portes à Montréal. Parmi ceux-ci: l'École spirituelle internationale de la Rose-Croix d'or, l'Église baptiste hispanique Lumière et vérité, l'Église des adorateurs chrétiens baptistes, la fraternité chrétienne de la Pentecôte et l'Église évangélique de la Nouvelle Alliance.

À la télé, on ne compte plus le nombre de documentaires consacrés aux phénomènes «paranormaux», aux voyants, aux ovnis et aux apparitions spectrales. Chez les marchands de journaux, les publications traitant de médecines parallèles, de nouvelles thérapies et de croissance personnelle occupent de plus en plus d'espace.

«Le XXIe siècle sera religieux ou ne sera pas», écrivait André Malraux. L'auteur de *L'Espoir* pouvait-il prédire l'avenir? Possédait-il un sixième sens? Avait-il rencontré des êtres du futur lors de ses nombreux voyages en Asie? Toujours est-il qu'il a visé en plein dans le mille. Le monde que nous habitons ressemble à un cirque peuplé de bonimenteurs, de tireuses de cartes et de femmes à barbe. L'ésotérisme, qui ne s'adressait naguère qu'à une poignée de pelés et de tondus avides de sensations fortes, a maintenant le vent dans les voiles et fait des affaires d'or. C'est à qui aurait vu le plus de fantômes, de lutins et de soucoupes volantes.

Pour les nostalgiques du christianisme triomphant, cette soudaine fascination pour l'étrange et le paranormal serait la preuve par A+B que l'homme moderne a soif d'absolu. «Chassez la spiritualité et elle reviendra au galop...» Mais, à mon avis, il n'en est rien. C'est même le contraire: cette fièvre bizarroïde laisse transpirer un excès de cynisme. Les gens croient aux petits bonshommes verts parce qu'ils ne croient plus en rien.

Tous les sondages le confirment: le taux de confiance de la population envers les figures d'autorité est en chute libre. Les juges, les politiciens, les avocats, les policiers, les militaires et les journalistes sont en train de rejoindre les huissiers et les distributeurs de contraventions au bas de l'échelle de popularité. À force de parler pour ne rien dire et de tourner les coins ronds, ils ont fini par scier la branche sur laquelle ils étaient assis. Le scandale de la Croix-Rouge, la Commission Poitras, les dérapages en Somalie, les promesses non tenues et les manquements à l'éthique ont semé le doute dans notre esprit. Avec pour résultat que notre foi s'est transformée en paranoïa.

Dans les années 60, quiconque osait affirmer que des agents du CIA avaient effectué des expériences sur des malades mentaux à Montréal passait pour un illuminé; cette année, la vénérable CBC a produit une minisérie de quatre heures sur l'affaire. Les complots d'hier sont les vérités de demain. Rien ne nous surprend, tout nous paraît vraisemblable, même le pire. *Surtout* le pire.

Selon Pierre Salinger, ex-attaché de presse du président Kennedy, la marine américaine aurait été responsable de l'écrasement du vol 800 de la TWA; il l'a lu sur Internet. Bof, pourquoi pas? À l'ère du soupçon, toutes les avenues sont ouvertes et rien n'est impossible. C'est la raison du succès sans précédent remporté par une télésérie, *The X-Files*. Savant mélange de science et d'ésotérisme, de faits et de fiction, cette série caresse notre scepticisme dans le sens du poil et jette de l'huile sur le feu de notre paranoïa. Agents très spéciaux, extraterrestres, commission trilatérale, flics corrompus et fantômes passe-muraille s'y croisent avec bonheur, brossant un portrait à la fois fascinant et inquiétant de notre état d'esprit à la veille de l'an 2000.

Dans la comédie de science-fiction *Men in Black*, le succès surprise de l'année dernière, un agent du contre-espionnage spécialisé dans le paranormal donne un cours de journalisme à l'une de ses recrues: «Le *New York Times* et le *Wall Street Journal* ont tout faux, lui dit-il. Si tu veux savoir ce qui se passe vraiment dans le monde, lis le *Weekly World News*) un tabloïd sensationnaliste rempli de nouvelles abracadabrantes du genre "Mère Thérésa enlevée par des Martiens")...»

La charge est à peine caricaturale. L'homme de la rue se méfie de tout et ne croit plus en rien. On lui dirait que Jean Chrétien est un envoyé de Vénus qu'il hausserait à peine les épaules. Pas étonnant que les lieux de culte poussent comme des champignons...

L'Actualité, 1er mars 1998, p. 83

9

Et les X-Files?

Les *soap operas*, les séries policières et autres du même genre, sont fort justement critiqués si, semaine après semaine, elles nous présentent les mêmes préjugés, ou biais. Chaque semaine, *The X-Files* (*Aux frontières du réel*) propose un mystère et offre les deux explications rivales, la rationnelle et la paranormale. Et semaine après semaine, l'explication rationnelle est perdante...

Imaginez une série policière dans laquelle, semaine après semaine, il y aurait un suspect Blanc et un suspect Noir. Et chaque semaine, le Noir se révélerait être le vrai coupable... Vous seriez évidemment incapable de défendre cela en disant: «C'est n'est que de la fiction, ce n'est rien de plus qu'un divertissement.»

The Skeptical Inquirer, mars 1998

10

Une formation improvisée

N'importe qui peut s'instituer animateur de cours de croissance ou psychothérapeute. Une étude, réalisée en 1990 par Info-
Croissance pour le compte de l'Office des professions du Québec et
portant sur la formation de 360 animateurs de cours de croissance,
révélait que 86% d'entre eux ne possédaient aucune formation spéci-
fique reconnue par le ministère de l'Éducation du Québec.

Trois sur quatre n'ont aucune formation universitaire. Et lorsqu'il y a diplôme universitaire, il a été obtenu dans des disciplines
hétéroclites: génie civil, comptabilité, sciences infirmières, art dra-
matique, éducation physique, design graphique... À peine une vingtaine des 360 personnes sont des psychologues.

On peut donc craindre que la grande majorité des animateurs
de cours n'aient jamais appris de façon sérieuse les techniques
d'animation de groupe, ni les méthodes d'intervention auprès de personnes en difficulté, ni les fondements de la psychologie. Ils n'ont
souvent pour tout bagage que leur expérience à titre de participant ou
une formation de qualité très incertaine, dispensée par quelque organisation de croissance.

Pour être bien sans y laisser sa peau, Guide préparé par Option Consommateurs
(anciennement ACEF-Centre), 1993

11

Des guérisseurs qui tuent

Danny Lemieux

> Organisé et influent, le mouvement «alternatif ou holistique» américain dérange. Depuis l'image du colporteur couvert de goudron et de plumes, le «deuxième plus vieux métier du monde» est devenu une profession digne des ligues majeures. Fini les personnages «bizarroïdes»; les charlatans sont bien organisés, sophistiqués et tenaces. Industrie multimilliardaire, la profession représente tout un lobby capable de faire obstacle à tout projet de loi visant la fraude en matière de santé.
>
> *Mémoire de la Corporation professionnelle*
> *des médecins du Québec* (1994)

«Supercherie que cette soi-disant pratique médicale.» Voilà comment le coroner-enquêteur, Claude Paquin, qualifie la pratique des «médecins du ciel». L'idée même que des «entités célestes» puissent fixer le prix des consultations fait déjà douter. Mais, c'est finalement le décès de trois patientes qui a amené le coroner à se pencher sur ce groupe particulier.

L'enquête du Dr Paquin révèle des histoires d'horreur où on voit à quel point la foi rend aveugle. De l'abandon de médicaments en passant par le traitement spirituel, les «guérisseurs» de Val David, une petite ville au nord de Montréal, ont des idées spirituelles bien arrêtées, démontre le rapport du coroner, signé le 27 juillet 1993: «Selon madame Forgues (l'une des «médecins du ciel»), toutes les pathologies connues, d'ordre physique ou psychologique, sont le résultat de blocages émotifs qui empêchent de recevoir l'énergie divine, laquelle est source de toute guérison. Si on libère les énergies négatives, on reçoit l'énergie divine et les pathologies disparaissent (maladies d'ordre cardiaque, néoplasie, sida, obésité, etc., etc.).

«On n'est donc pas obligé d'avoir des connaissances scientifiques pour pouvoir guérir, puisqu'on travaille à un niveau supérieur.»

Le coroner Paquin explique la méthode employée. «Durant environ 15 minutes, le client mentionne ses problèmes (physiques, psychologiques ou sociaux). Par la suite, il s'étend sur un divan; le médium tend les mains sur la tête du client pendant quelques minutes, durant lesquelles le contact entre les entités et le client se ferait. Par la suite, le client est laissé seul environ 20 minutes (les entités feraient alors leur travail). Le médium-guérisseur revient pour donner ses derniers conseils, et se faire rémunérer. Il existe aussi des traitements à distance, où le client n'a qu'à penser à son médium-guérisseur pour que les entités libèrent les émotions négatives et injectent l'énergie divine. Les visites chez les médiums-guérisseurs se font environ une fois par une ou deux semaines. Le coût des traitements varie entre 5 et 50 dollars l'heure, le prix étant fixé par les entités qui le mentionnent au médium! Mme Forgues et M. Blanchi voient environ cinquante patients par semaine à leur domicile.»

Une «boule d'énergie»... de 2 kilos

C'est dans ce contexte que les «médiums-guérisseurs», Monique Forgues, Yves Blanchi et Diane Picard, ont incité plusieurs malades à abandonner leur traitement. L'histoire d'une de ces malades, Mme Bélanger, est particulièrement inquiétante.

En juin 1986, celle-ci se fait opérer pour des douleurs abdominales. Lors de l'ablation d'un premier polype, les médecins en découvrent un autre, d'aspect bénin, qui n'a pas à être retiré. La patiente doit cependant se présenter à l'hôpital l'année suivante pour qu'en soit vérifiée l'évolution.

Or, les douleurs persistent. Sur le conseil de ses enfants, Mme Bélanger rencontre Monique Forgues. De janvier à novembre 1989, elles se voient régulièrement. Lorsqu'approche la visite de contrôle médical prévue, Monique Forgues dissuade Mme Bélanger de s'y présenter, en lui expliquant qu'elle est sur la voie de la guérison et que ses douleurs abdominales découlent d'un blocage émotif – une «boule d'énergie négative».

C'est finalement en septembre 1989, alors que la douleur est devenue insupportable et qu'il y a du sang dans ses selles, que Mme Bélanger décide enfin de consulter son médecin. Elle appelle Mme Forgues; elle se fait sermonner et accuser de trahir leur confiance.

Le 26 novembre, Mme Bélanger est admise à l'Hôpital Notre-Dame de Montréal dans un état lamentable. L'examen médical décèle un cancer du sigmoïde et des ovaires. L'opération révèle que la «boule d'énergie négative» est une masse cancéreuse de deux kilos! Suite à cette douloureuse intervention, l'état de santé de la patiente ne s'améliore guère. Le 27 janvier, Mme Bélanger meurt à l'âge de 56 ans.

Soins médicaux interrompus

Deuxième victime: Mme Paré. Elle était diabétique, asthmatique et souffrait d'hypothyroïdie. C'est à la suite des recommandations de la «médium-guérisseuse» qu'elle cesse de prendre de la cortisone et diminue sa médication contre l'asthme. Elle est trouvée morte dans les jours suivants. Elle n'avait que 38 ans.

Troisième cas: en janvier 1989, le médecin de Mme Thouin lui apprend que la tuberculose ou le cancer du poumon pourrait être la cause de ses souffrances. Désespérée, sur les conseils de membres de sa famille, elle décide de voir Monique Forgues. Après une seule rencontre, Mme Thouin cesse toute consultation médicale. Au printemps, elle cesse de prendre des bronchodilateurs. Essoufflements et fatigue s'ensuivent. Aux dires de Mme Forgues, la patiente doit passer par cet état avant de s'améliorer. Le 24 juillet 1989, le fils de Mme Thouin la retrouve inanimée dans son lit...

Dans une section de son rapport intitulée «La supercherie des médiums-guérisseurs», le Dr Paquin tente d'expliquer comment on peut en venir à suivre aveuglément de tels individus: «Nos médiums-guérisseurs réussissent à convaincre leur clientèle que les lois physiques n'existent plus et que seules existent des lois spirituelles qui influenceraient directement toute maladie. Cette façon de réfléchir sauve évidemment beaucoup d'études scientifiques et permet de... gagner sa vie.»

«Convaincre que la maladie physique est seulement régie par des lois d'ordre spirituel, en faisant fi des lois biologiques, est à mon avis aussi grave que de convaincre quelqu'un de se jeter en bas de la Place Ville-Marie, parce qu'on l'assure que les lois divines vont primer sur la loi de la gravité!»

*   *   *

Ces «médiums-guérisseurs» ont tout de même fini par être confrontés à la justice; le 15 mars, ils ont été reconnus coupables de pratique illégale de la médecine. Monique Forgues a écopé d'amendes totalisant 3500 $, Yves Blanchi de 1500 $ et Diane Picard de 2000 $.

12

Le besoin d'information

Être ignorant de son ignorance est la maladie de l'ignorant.

A.B. Alcott, *Conversation de table*

Selon un document publié par le Secrétariat des Commissions de l'Assemblée nationale du Québec, 65% des personnes interrogées lors d'un sondage en mars 1992, croient qu'il y a «trop de charlatans» parmi les thérapeutes alternatifs. Et quelque 58% trouvent qu'il y a «peu de moyens» de s'assurer de la qualité de leur formation.

Malgré la présence de plus en plus visible des thérapies alternatives, l'information objective, capable de renseigner le public sur les méthodes d'un thérapeute ou ses antécédents, est presque inexistante. Cette lacune ouvre la porte à tous les abus.

L'Organisation internationale des Unions de Consommateurs (IOCU), basée à La Haye, reconnaît sept droits aux consommateurs. Parmi eux, le droit à l'information: le droit d'obtenir les renseignements nécessaires pour faire un choix en connaissance de cause.

Il semble en effet que le consommateur soit laissé à lui-même. On veut lui donner accès à une jungle de thérapies alternatives, mais on n'a pas cru bon de le doter d'une boussole.

Cette approche est suicidaire, surtout à une époque où la pensée magique fait des ravages. Devant des situations pénibles, voire désespérées, de plus en plus de citoyens recherchent la panacée qui réglerait tous leurs problèmes.

L'avancée de l'irrationnel en politique (le racisme, le néo-nazisme), en religion (sectes, intégrisme), en thérapie (médiums-guérisseurs), est un signe flagrant de la mauvaise santé de la pensée critique dans notre société.

Néanmoins, certains sociologues croient que cette situation va s'améliorer avec le temps. Ainsi, Guy Rocher affirme qu'en matière religieuse, les jeunes ont «tendance à se plaindre d'un manque d'information pour faire un choix éclairé». Si on ajoute les 58% de Québécois qui pensent qu'il n'y a pas assez de moyens de s'assurer de la qualité de la formation des praticiens, nous avons là une brèche intéressante.

La reconnaissance par le gouvernement des thérapies alternatives doit nécessairement s'accompagner de la mise sur pied de mécanismes de protection pour les utilisateurs de ce genre de services. D'autant plus que le consommateur est submergé d'informations strictement promotionnelles qui, par définition, ne sont pas objectives.

L'intervention de l'État viendrait corriger des dysfonctions dues à des organismes et thérapeutes qui ne respectent pas les bases élémentaires de l'éthique. Ainsi, la présence du gouvernement dans ce marché ne saurait être interprétée comme une menace aux droits et libertés, mais comme une intervention légitime en vue de protéger la population contre les abus.

Info Secte, *Mémoire présenté à la Commission parlementaire sur les thérapies alternatives*, 1993

13

Les fausses sciences

Philippe Thiriart

Il est trompeur de dire que le but de la connaissance scientifique est l'explication des événements. Les religions et les philosophies ont produit quantité d'explications depuis toujours, mais elles ne sont pas des sciences. C'est la prédiction des événements, qui caractérise la connnaissance scientifique.

Apparemment, les partisans des pseudo sciences, de l'ésotérisme, du paranormal et des médecines parallèles endossent cette conception de la science. La différence, c'est qu'ils considèrent que leurs approches leur permettent de mieux prédire et de mieux maîtriser les événements: et cette approche, c'est l'expérience personnelle, qu'ils affirment, souvent avec sincérité, avoir réalisée avec succès. Ils considèrent que l'expérience «vécue» et l'intuition suffisent pour décider de ce qui est réel ou pas, de sorte que la méthode scientifique leur paraît inutile.

L'être humain ne peut-il pas se fier à lui-même pour savoir ce qui est réel ou pas? Eh bien justement, non. L'effet placebo nous le rappelle sans cesse.

Mais comment pourrions-nous vivre sans nous fier, ne serait-ce que de temps en temps, à notre intuition et à notre expérience vécue? Après tout, dans la vie, il est préférable d'agir, même quand les informations sont incomplètes (ce qui est fréquent!). De plus, il est souhaitable d'oublier que nos décisions reposent justement sur des informations incomplètes, autrement, l'anxiété nous rongerait. Il nous faut donc échapper à l'indécision et à l'angoisse de l'incertitude. C'est dans ce but que nous appelons à l'aide les fausses sciences et la superstition. L'homéopathe ou l'astrologue nous suggèrent une ligne de conduite simple, et nous la suivons avec espoir et confiance.

Si le sorcier fait preuve de sens commun, ses conseils ne seront ni meilleurs ni pires que ceux des amis ou des voisins. Mais s'il se croit investi d'un don supérieur, il risque d'imposer ses fantasmes, pour le plus grand malheur de ses clients. En un sens, c'est lorsque les sorciers croient en leurs propres pouvoirs qu'ils sont le plus dangereux. Sûrs d'eux-mêmes jusqu'à l'arrogance, ils peuvent donner des conseils fantasmatiques, imposer des traitements aberrants ou des exigences outrancières à leurs clients ou à leurs disciples.

Ainsi demeure le problème de l'exploitation de l'humain par l'humain. Face aux prétentions abusives, nous ne pouvons pas demeurer passifs. Nous nous devons de défendre la pensée rigoureuse. Pour Robert Pirsig, «le véritable but de la méthode scientifique n'est-il pas de s'assurer qu'on ne s'imagine pas savoir ce qu'en fait on ignore?»

Philippe Thiriart est professeur de psychologie au Collège Édouard-Montpetit, à Longueuil et membre fondateur des Sceptiques du Québec.

14

Le parcours d'un «converti» de l'ufologie

Il fut pendant plus de 15 ans l'un des spécialistes des ov-nis les plus en vue du Québec. On lui doit deux ouvrages et quelque 225 conférences sur la présence extraterres-tre, sans parler d'innombrables interventions à la radio et à la télé.

Aujourd'hui, il est l'un des membres les plus actifs des Sceptiques du Québec. Récit d'un virage à 180 degrés.

Mon intérêt pour l'extraordinaire remonte à ma prime enfance. Je passe celle-ci, comme bien d'autres jeunes, en compagnie des fées, ogres et sorcières. De plus, j'ai la chance d'avoir une sœur aînée qui aime bien me raconter des histoires où le fantastique tient une large place. Enfin, c'est l'époque des récits «édifiants» publiés par les institutions catholiques, regorgeant d'anges et de démons.

Arrivent 1954 et un événement important chez nous: le pre-mier appareil de télévision. Le professeur Narton et le robot Oscar attirent mon attention dans *Opération mystère* – la première série «sérieuse» de science-fiction de Radio-Canada. En plus, bien sûr, des Américains: *Rocky Jones, Space Ranger* et autres séries

populaires font découvrir des mondes peuplés de créatures extraordinaires aux pouvoirs merveilleux.

Toutefois, entre l'âge de 7 et de 10 ans, une épreuve terrible
nous attend. Étant né «enfant bleu», comme on disait à l'époque,
mes chances de survie sont d'autant plus minces que les médecins
détectent la présence de tuberculose dans mes poumons. Il y a de
l'espoir, à condition de suivre des traitements médicaux réguliers à
domicile et à l'hôpital. C'est ainsi que mes premières années d'école
se font à raison de demi-journées, entrecoupées de périodes de con-
valescence.

De là, mon goût accru pour la lecture. Défilent plusieurs livres
de collections pour les jeunes, sur des thèmes tels que la nature, la
faune, la flore, l'astronomie et les «soucoupes volantes» (très à la
mode dans les années 50).

Somme toute, ma maladie a du bon: je lis, je me divertis, je
m'instruis – et comble de bonheur, ma santé s'améliore. Je peux
donc reprendre un train de vie normal et, à l'adolescence, les pers-
pectives d'avenir sont souriantes.

Arrivent les années 60. Du côté de la littérature, c'est l'heure du
Réalisme fantastique, avec les «petits livres rouges» de la collection
L'aventure mystérieuse chez J'ai lu, et des gros livres noirs de la collection *Les énigmes de l'univers* chez Laffont. C'est également dans
ce courant qu'apparaît une nouvelle pseudo science: l'archéologie
extraterrestre. Les deux principaux auteurs, Robert Charroux et Eric
von Däniken, connaissent un succès instantané.

Quelles «découvertes» y annonce-t-on? Eh bien, que les extraterrestres se retrouvent à toutes les époques de l'histoire et dans toutes les situations: chez les hommes des cavernes, au fond des mers,
dans l'Éden, dans les tribus israélites de l'Ancien Testament, à
l'époque du Christ, au Moyen âge, au Vatican, à la présidence des
États-Unis, en Amérique du Sud, au Pérou, en Inde... À croire qu'il y
a autant d'extraterrestres que d'humains sur Terre!

Je me passionne pour ces deux collections, en même temps que
d'autres thèmes surgissent: les courants ésotériques venant d'Orient,
d'Europe et de la Californie font des petits. Tous les mysticismes,

toutes les «religions» ont pignon sur rue. C'est l'époque du «Faites l'amour, pas la guerre», et des courants positifs et «énergétiques» – entendons ésotériques – qui repositionnent l'homme sur sa planète et remettent en question sa raison d'être...

Les gourous orientaux se mêlent, se confondent parfois, avec les grands Initiés, les Frères de l'espace et les contactés qui sont les émissaires de multiples races extraterrestres, lesquelles veulent toutes (évidemment!) notre bien.

Arrive un moment où extraterrestres et «soucoupes volantes» finissent par prendre le pas sur les autres thèmes «ésotériques». Je collectionne les articles de journaux et j'enregistre sur cassette les émissions de radio et de télévision. Je dévore tout ce qui s'y rapporte, à commencer par les trois ouvrages du pionnier québécois de la recherche sur les ovnis, Henri Bordeleau.

Je réalise alors que dans la plupart des ouvrages «sérieux», les auteurs parlent plutôt «d'objet volant non identifié» (ovni) que de soucoupe volante, afin de faire plus respectable. Souvent, ces livres donnent les coordonnées des groupements ou associations spécialisés, créés au fil des années en Europe et aux États-Unis.

Vers la fin des années 60, je prends contact avec la plupart de ces organismes, en proposant un échange de lettres sur l'actualité des ovnis. Ces échanges m'amènent à connaître les principaux chercheurs, au point que, de simple correspondant, je deviens peu à peu le «représentant officiel» au Québec de tel ou tel groupe. On commence à voir ma signature dans leurs revues et bulletins. C'est le véritable départ de cette aventure ufologique qui, pendant près de 20 ans, fera partie intégrante de ma vie et monopolisera la plupart de mes loisirs. Je me consacre dès lors à faire connaître ce que je considère comme «la cause ufologique» et je suis convaincu de la réalité du phénomène, acceptant presque sans condition la théorie d'une origine extraterrestre.

Mon engagement devient de plus en plus soutenu. En fait, toute ma vie n'est alors partagée qu'entre mon emploi régulier (au secrétariat d'un ministère) et l'ufologie. Si j'y accorde autant d'importance, c'est que je suis convaincu que l'ufologie est le plus important domaine de recherche jamais entrepris dans l'histoire de l'humanité!

C'est en outre la période de «vaches grasses». Non seulement d'imposants groupes existent-ils aux États-Unis et en Europe, mais la Chine, l'Australie, l'U.R.S.S. et le Moyen-Orient ont également leurs associations. Le courrier s'accumule chez moi, à un point tel que le facteur demande souvent à ma mère quel peut bien être le «métier» de son fils, pour qu'il reçoive un courrier venant de tous les pays du monde! Je reçois quantité de lettres que je ne peux pas lire à cause de la langue!

Mettre l'ufologie sur la carte

Au Québec, certains chercheurs commencent à se regrouper. Toutefois, je suis souvent déçu, soit par le manque de conviction, soit par leur méconnaissance du phénomène ovni, soit par l'absence de rigueur avec laquelle les réunions et les activités sont menées.

En vue d'attirer l'attention des médias et du public sur l'existence des ovnis – et sur mon engagement personnel – je rédige et fais imprimer à plusieurs centaines d'exemplaires un rapport de quelques pages, traitant des caractéristiques de l'ufologie telles que connues et acceptées à ce moment. Je distribue ce rapport à des chercheurs québécois et aux médias, et la réponse ne se fait pas attendre: nouveau déversement de courrier et d'appels téléphoniques à la maison!

Je ne sais plus où donner de la tête et je suis obligé d'organiser un horaire pour mes participations médiatiques. À tour de rôle, la plupart des animateurs d'émissions de «ligne ouverte» à la radio et des émissions culturelles et de variétés à la télévision me voient défiler dans leur studio. Je suis heureux: l'ufologie est «sur la carte».

Souvent, on m'interroge sur mes raisons à porter un si grand intérêt aux «soucoupes volantes» et aux «p'tits hommes verts»; chaque fois, je tente de dissiper le malentendu entre recherche «sérieuse» et hypothèses farfelues. Ce qui en amène quelques-uns à me présenter comme un cas unique et bizarre!

En 1971, je participe à la fondation de l'un des premiers groupes québécois d'ufologie. Nous visons haut puisque nous nous auto-baptisons «Commission d'Ovniologie internationale». Des difficultés ne permettront pas au groupe de percer.

En 1971, je prends également contact avec la Société de recherches sur les phénomènes mystérieux (SRPM), fondée en janvier 1967 par Jean Casault, et qui publiera la revue *Affa* jusqu'en 1977. J'y milite activement pendant près de deux ans. La SRPM contribuera beaucoup à valoriser le travail d'enquête mené par les ufologues et chercheurs de divers milieux – ce qui est précisément mon objectif.

En outre, avec l'aide de collaborateurs, je produis un montage audio-visuel de 90 minutes, sur l'histoire et les caractéristiques de l'ufologie. Tout ce travail m'amène, en 1974, à envoyer à plusieurs éditeurs québécois le manuscrit d'un document intitulé *Procès d'un sujet condamné à tort par les hommes depuis plus de 30 ans* – titre qui en dit long sur mon intention de «réhabiliter» le phénomène.

Le manuscrit intéresse le directeur des nouvelles Éditions Québec/Amérique. On me suggère d'en faire un livre plus étoffé: c'est avec empressement que je réponds à la suggestion, ajoutant plusieurs enquêtes ufologiques effectuées par des chercheurs québécois. Le directeur me suggère en outre de modifier le titre, question marketing, et d'utiliser le terme *soucoupe volante*.

C'est ainsi que *Le Procès des soucoupes volantes* paraît en avril 1975. À partir de ce moment, pendant près de 10 ans, je me promènerai d'un bout à l'autre de la province pour présenter mon diaporama dans de nombreuses écoles publiques et privées, dans les cégeps et dans les universités. En même temps, je fais la promotion de mon ouvrage (et de deux autres qui suivront), ainsi que de UFO-Québec, regroupement ufologique né en 1975, qui réalisera enfin, pendant 10 ans, mon ambition d'avoir sur le terrain un véritable groupe d'enquête sur les ovnis.

Pendant ces 10 années, UFO-Québec domine la scène. Les médias se réfèrent régulièrement à nous. Des équipes sont créées pour développer des méthodes d'analyse, principalement dans le domaine des photographies, des échantillons de flore et de sol, des phénomènes atmosphériques, géologiques, astronomiques, etc. UFO-Québec publie trimestriellement un bulletin d'information – et à cette époque d'avant les ordinateurs, les textes sont tous dactylographiés par une seule personne (devinez qui!).

Ufologie et ésotérisme

Je suis amené à côtoyer des gens qui prétendent avoir été «contactés», et se disent porteurs de la «bonne nouvelle». À la fin des années 70, d'abord aux États-Unis, puis au Québec, ces gens se font de plus en plus nombreux. Le plus souvent, leurs prétentions relèvent davantage de l'ésotérisme ou du paranormal.

Progressivement, je fais montre de plus en plus de réserves face à ces approches. Et, plus je m'instruis sur les sciences – astronomie, biologie, histoire, anthropologie, physique – plus je réalise que la plupart des éléments présentés par ces ésotéristes ne reposent sur aucune base tangible. De surcroît, plus je fréquente les milieux ésotériques, plus je réalise que leurs affirmations, leurs «expériences vécues», sont acceptées sans discernement par tout un chacun.

L'ufologie classique a peine à faire face aux propagateurs de toutes les idées «Nouvel âge»: voilà que les extraterrestres font bon ménage avec les esprits, les entités surnaturelles, les anges, les démons, etc.

UFO-Québec franchit mal le cap. Le noyau d'irréductibles diminue; l'ufologie est moins à la mode dans les médias. En 1984, nous prenons la décision de dissoudre l'Association et de mettre fin au bulletin.

L'invasion du Nouvel âge

Plus le temps passe, et plus je prends mes distances de ce courant Nouvel âge. Un certain scepticisme commence à germer en moi au milieu des années 80. Ce déferlement d'ésotérisme et de pseudo sciences devient inquiétant, au point même où divers intervenants des milieux sociaux et scolaires prennent position.

Je commence à correspondre avec des organismes culturels et littéraires afin de faire connaître ma position sur l'ésotérisme. Je propose d'apporter ma collaboration à ceux qui prennent position en faveur d'une information plus critique.

Vers la fin de 1989, je lis dans *La Presse* quelques articles où il est fait mention des Sceptiques du Québec – dont une chronique de Pierre Foglia qui remercie le groupe de lui avoir décerné le prix *Scep-*

tique pour une série d'articles sur les mouvements de croissance personnelle.

Je prends contact avec eux et, peu de temps après, je participe à leurs rencontres publiques (À cette époque, nous n'étions qu'une dizaine autour d'une pizza!). Mon engagement devient de plus en plus prononcé, et j'en arrive, au début des années 90, à occuper un poste au sein du Conseil d'administration.

La raison de mon adhésion aux Sceptiques du Québec est donc davantage liée à l'ésotérisme en général qu'à l'ufologie comme telle. À ce chapitre, je considère, aujourd'hui encore, les ovnis comme un phénomène digne de l'attention de la communauté scientifique. C'est, selon moi, une voie de recherche intéressante à suivre, à cause des aspects techniques et sociologiques qui pourraient l'expliquer de diverses façons. J'ai par contre pris mes distances vis-à-vis des théories supposant une origine extraterrestre; il me semble qu'avant de recourir à une hypothèse aussi fantastique pour expliquer les ovnis, on se doit d'approfondir davantage nos connaissances du fonctionnement de la nature et des êtres humains.

15

Le rôle d'une association
de sceptiques

Fondée en 1987, l'association appelée Les Sceptiques du Québec est un organisme à but non lucratif dont l'objectif est de «promouvoir l'esprit critique face aux phénomènes paranormaux et aux allégations pseudo scientifiques». Les Sceptiques encouragent la recherche dans ces domaines et favorisent la diffusion des résultats obtenus.

Partout à travers le monde, de semblables associations se sont formées, souvent inspirées du grand frère, le CSICOP (Committee for the Scientific Investigation of Claims of the Paranormal). Des célébrités, telles que les regrettés Carl Sagan – astronome et vulgarisateur scientifique de renom – et Isaac Asimov – l'écrivain de science-fiction, lui aussi scientifique – en plus de nombreux universitaires participent à un degré ou à un autre au CSICOP ou à son magazine, *The Skeptical Inquirer*.

Comme on peut le lire en introduction, être sceptique ne signifie pas nier l'existence de tout phénomène étrange. Au contraire, ceux qui s'identifient ainsi sont plus souvent qu'autrement intéressés par ces phénomènes: une assemblée de Sceptiques constitue probablement le meilleur rassemblement en ville d'amateurs des *X-Files*, de *Star Trek*, ou d'individus intéressés à spéculer sur la vie ailleurs dans l'Univers!

Les sceptiques québécois ont acquis au fil des ans une renommée qui a dépassé les frontières, entre autres grâce à leur défi de 500 000 $ offert par Alain Bonnier (*M. Bit*): un prix qui attend encore d'être remis à la première personne qui parviendra à prouver l'existence d'un phénomène paranormal. Si jamais cette personne se présente, soyez sûr que ça va faire du bruit!

Mais les Sceptiques, ce sont aussi des gens qui font parler d'eux dans les médias: petit à petit, les journalistes ont pris l'habitude de les appeler lorsqu'un individu avance des prétentions pour le moins insolites, ou lorsqu'on a besoin d'une «contre-opinion» dans le cadre d'une émission de télé ou de radio. Émissions mettant en scène des voyantes, des tordeurs de cuillers ou le film d'une autopsie d'extraterrestre: les Sceptiques y sont allés... et comptent bien y retourner!

Une autre des activités des Sceptiques québécois, à l'instar de leurs collègues américains, est la publication, quatre fois par année, d'un magazine, *Le Québec Sceptique*, duquel la majorité des textes de ce livre sont extraits. Il s'agit d'un magazine sans prétention, produit avec les moyens du bord – toute l'association n'est constituée que de bénévoles! – et qui s'efforce de toucher à tout ce qui a trait au paranormal – et ça fait beaucoup!

Les Sceptiques du Québec ont aussi un site Web (http://www.sceptiques.qc.ca) qui favorise les échanges avec les sceptiques des quatre coins du monde.

Le groupe tient aussi des réunions publiques: les membres de la région de Montréal ont ainsi l'occasion de se voir une fois par mois, rencontre à l'occasion de laquelle un conférencier peut aussi bien nous parler de la recherche de planètes au-delà de notre système solaire, des sourciers, du oui-ja ou du triangle des Bermudes!

Promouvoir l'esprit critique et le bon sens: noble tâche, direz-vous. Mais est-ce que ça marche?

Prenons le cas américain. Le *Skeptical Inquirer*, après 20 ans d'activités, rejoint maintenant 50 000 abonnés, et génère des campagnes de financement suffisamment efficaces pour avoir pu faire construire un Centre d'enquête, près de Buffalo (coût: quelques millions de dollars!). Il n'y a qu'un seul problème: au cours de ces 20 années, tout ce que combat le *Skeptical Inquirer* est devenu de plus en plus puissant! L'astrologie, jadis confinée aux tabloïds, se glisse jusqu'à la Maison-Blanche, et le Nouvel âge est devenu une industrie multi-milliardaire.

«La question clef, résumait le *New Scientist* à l'occasion de ce 20e anniversaire, est donc de savoir si l'existence du CSICOP a fait une différence.» En apparence, non. Et pourtant, tous les petits qu'a engendrés le CSICOP à travers le monde sont tous, à leur façon, des agents de changement: entre enquêtes et dénonciations de charlatans, lettres dans les journaux et entrevues à la télé, ils construisent à leur façon, petit à petit. La route est longue, mais il y a de la lumière au bout du tunnel...

Ce texte s'inspire d'un article de Claude Lafleur, paru dans l'édition du printemps 1993 du *Québec Sceptique*.

16

Répertoire des arguments employés en pseudo science

Charles Bertrand

Imaginez la situation par hasard et sans préparation particulière: vous vous retrouvez lancé dans un âpre débat avec un pseudo scientifique qui ne se gêne pas pour vous canarder d'arguments aussi nombreux qu'inattendus.

Or, vous l'ignorez peut-être, mais il se trouve que ces arguments sont toujours les mêmes! Décoder ces propos, prévoir ces arguments, n'est-ce pas une bonne façon de se préparer à lui répliquer?

«Ce qui se ressemble, s'assemble»

Par cet argument, nommé *assimilation* (ou *amalgame*), «on considère comme de même catégorie des notions, phénomènes ou objets différents.» On notera qu'«il peut autoriser des confusions préjudiciables, qu'une analyse critique décèlerait.» Par exemple:

– Auriez-vous déjà expérimenté la communication télépathique avec les dauphins?

– Oui, mais à une très petite échelle car je ne suis pas en contact avec les dauphins tous les jours. Ce que j'ai vraiment expérimenté, c'est cette connexion que cela te donne avec l'océan, la nature...

Dans cette réponse, la comédienne Lise Thouin met d'abord un bémol à ce qu'il faudrait entendre par «communication télépathique», pour ensuite y assimiler une «connexion» avec l'océan et la nature, qui pourtant n'a rien à voir avec la télépathie.

Mais ce genre de confusion est peut-être involontaire, si l'on considère à quel point les exigences de la science sont mal connues. Une de ces exigences est de comparer des choses comparables. En ne le faisant pas, le pseudo scientifique se trouve à user de l'argument suivant.

« À choses égales... traitement inégal ! »

Ou l'art de faire deux poids, deux mesures. C'est ce qu'on appelle l'argument *a fortiori*. Ainsi, supposons que l'on propose à l'astrologue ou l'homéopathe de considérer sa pratique sur le même niveau que la science, par exemple celui des preuves, et que le pseudo scientifique décide de ne pas en tenir compte. On peut alors le mettre devant ses propres contradictions: il *veut* faire reconnaître sa pratique comme *égale* à la pratique scientifique; mais en ne se souciant pas de donner de preuves, il demande un traitement *inégal*...

« Vrai pour ça, vrai pour tout ! »

Il y a *généralisation* quand on étend à un grand nombre de cas une observation qui n'a été vérifiée que sur un petit nombre. Par exemple:

«Oui, mais même s'il n'y avait que 5% des apparitions d'ovnis qui étaient inexpliquées, ça serait tout de même extraordinaire !»

« Du calme, ça s'en vient... »

Ou la conviction que, même si ça ne fonctionne pas et n'a jamais fonctionné, une «découverte majeure» est imminente. On remarquera, dans l'exemple qui suit, l'emploi de la négation et de la mise en garde: *Il est important de...*

«Les effets de la pensée sur la matière *ne sont pas* immédiats. C'est pourquoi *il est important de ne pas* se décourager si *on ne voit pas immédiatement* les effets de son travail intérieur, de sa pensée. Et *il ne faut pas* non plus abandonner son travail intérieur sous prétexte qu'on n'en voit pas les effets tangibles.»

«*Prouve-moi le contraire!*»

C'est la tactique d'évitement par excellence. Par cet argument, appelé en bon latin *ad ignorantiam*, le croyant tente d'imposer à l'adversaire le fardeau de la preuve. Or, le fardeau de la preuve repose toujours sur le prétendant: on n'a pas à prouver que quelqu'un a tort. Par ailleurs, il est impossible de démontrer la non-existence de quelque chose. Quels que soient les arguments qu'avance un sceptique, le croyant pourra toujours élever la barre un peu plus.

«*Vous êtes un ! $#"&*+_!? (donc vous avez tort)!*»

Mais un argument de la sorte, appelé en bon latin *ad hominem*, «ne vaut que contre l'adversaire que l'on combat, soit parce que cet argument se fonde sur une erreur, soit parce qu'il vise tel ou tel détail particulier à l'individu. Exemples:

- «Je pense que vous (les Sceptiques du Québec) êtes des provocateurs.»

- «Si vous êtes sceptique, vous allez vous tromper plus souvent.»

- «Ces personnes (les Sceptiques invités à une émission) ont été choquantes, aberrantes, méprisantes, destructrices. Ce sont des jaloux, des frustrés.»

Dans chacun de ces exemples, on s'attaque à un détail particulier de l'individu – en postulant que ce détail est véridique! La façon la plus simple de répondre est encore de rappeler que ce n'est pas de cela qu'il s'agit...

Dans le même registre de l'émotivité, on trouvera aussi l'argument «*Émeus-moi et je te croirai*» (*ad populum* en bon latin). On l'entendra sans doute davantage de ceux qui vivent les expériences déroutantes que de ceux qui font de l'argent avec – du moins, quand ce ne sont pas les mêmes. On en notera l'exemple suivant:

- «Aux gens qui me disent: Ça n'existe pas, les extraterrestres, je réponds: Chanceux! T'es pas au courant. Ça te fait un problème de moins auquel penser.»

Comment réfuter?

Nous avons vu quelques-unes des lacunes des arguments expliqués. Ajoutons quelques précisions. Ainsi, il faut savoir que la réfutation s'organise autour de lieux communs. Par exemple, on pourra chercher à faire ressortir de l'argument ses contradictions, l'absence de preuves ou encore la partialité de son auteur. Et à cela, on ajoutera bien sûr le b a ba de la méthode scientifique:

- Quelle allure a cette histoire ou cet argument d'un point de vue logique?
- Est-il possible de reproduire le phénomène?

Avec des questions aussi exigeantes, le pseudo scientifique aura besoin de bien affûter ses arguments, voire de s'en mitonner plusieurs autres...

Charles Bertrand – baccalauréat en arts, maîtrise en études françaises – est réviseur pigiste.

Bibliographie sceptique

Voici quelques suggestions de livres pour compléter vos recherches sceptiques. Pendant que vous y êtes, suggérez à votre bibliothécaire de les acheter. Il y a tellement de livres ésotériques (payés la plupart du temps par vos taxes!) dans les bibliothèques publiques... Pourquoi ne pas réclamer que quelques livres sceptiques, tellement plus stimulants pour l'intelligence, s'y retrouvent aussi?

ADAM, Jean-Pierre, *Le passé recomposé*, Paris, Seuil, 1988, 255 p.
Tout sur l'archéologie fiction – ou pourquoi les extraterrestres n'ont pas besoin d'intervenir pour expliquer les pyramides, l'île de Pâques et autres «mystères du passé». L'ingéniosité humaine suffit!

ASIMOV, Isaac, *Objets volants non identifiés*, Paris, Flammarion, Bibliothèque de l'Univers, 1991.
Pour initier sainement les enfants aux phénomènes aériens qui, même s'ils sont bizarres, ne viennent pas nécessairement de la planète Mars.

BROCH, Henri, *Le Paranormal*, Paris, Seuil, 1989.
Le livre de référence incontournable sur le paranormal, par un grand sceptique français qui analyse et explique plusieurs phénomènes dits paranormaux.

MAJAX, Gérard, *Le grand bluff*, Paris, Flammarion, 1986, 227 p.
Le magicien Gérard Majax présente et explique, photos à l'appui, de nombreux trucs utilisés par les prétendus médiums.

PRUNEAU, Michel, *Les Marchands d'âmes : essai critique sur le Nouvel âge*, Stanké, 1998.
Le livre qui a valu à M. Pruneau le prix Sceptique 1998. M. Pruneau, directeur pédagogique de l'École de santé holistique du Cégep Marie-Victorin, porte un regard très critique sur le mouvement Nouvel âge qu'il présente comme une secte sans gourou.

SAGAN, Carl, *The Demon-Haunted World*, New York, Ballantine Books, 1997, 457 p.
Le dernier livre du regretté Carl Sagan, vulgarisateur scientifique de renom. Cet ouvrage exceptionnel présente la science comme une lueur d'espoir contre l'obscurantisme du paranormal.

RANDI, James, *Le Vrai visage de Nostradamus*, Éditions du Griot.
Un excellent livre de démystification sur les « prédictions » de Nostradamus. M. Randi, après avoir visité l'endroit où Nostradamus a passé son enfance, le présente comme une sorte de Jojo Savard de son époque. Randi avance aussi quelques interprétations surprenantes de quatrains bien connus...

Livres pour le plaisir...

ECO, Umberto, *Le Pendule de Foucault*, traduit de l'italien par Jean-Noël Schifano, Paris, Grasset, 1990, 657 p.
Pour se détendre, LE roman sur les complots dont la conclusion régalera le plus sceptique. Parfois trop savant (de long paragraphes sont assez ardus !), mais à lire absolument, pour la magistrale conclusion.

GOSCINNY, René et UDERZO, Albert. *Le Devin*, Une aventure d'Astérix, Neuilly, Dargaud Éditeur, 1972, 48 p.
Lisez (ou relisez) attentivement cette merveilleuse bande dessinée pour découvrir en rigolant tous les trucs des devins, des voyants et des astrologues ! Parfait pour les jeunes sceptiques...

Cette bibliographie n'est bien sûr pas exhaustive. La plupart des auteurs cités ont écrit (et vont écrire !) d'autres livres sur le paranormal et les pseudo sciences, dont certains n'ont pas été traduits en français.

Pour rester branché sur l'actualité sceptique: le site Web des Sceptiques du Québec
http://www.sceptiques.qc.ca

Pour rester branché sur l'actualité scientifique: celui de l'Agence Science-Presse
http://www.sciencepresse.qc.ca